O

G. CABRERA INFANTE

O

BIBLIOTECA BREVE
EDITORIAL SEIX BARRAL, S. A.
BARCELONA

Cubierta: Joan Batallé

Primera edición: febrebro de 1975

© 1975: Guillermo Cabrera Infante

Derechos exclusivos de edición
reservados para todos los países de habla española:
© 1975: Editorial Seix Barral, S. A.,
Provenza, 219 - Barcelona

ISBN: 84 322 0282 7
Depósito legal: B. 8.060 - 1975

Printed in Spain

EPPUR SI MUOVE?

> Cuando me preguntan, como ocurre
> a menudo, ¿por qué se mueve Lon-
> dres?, contesto con una caldeada teo-
> ría de balbuceos que nunca es muy
> esclarecedora que digamos.
>
> BARRY FANTONI

> No podemos prometerle que conoce-
> rá a Mick Jagger o bailará el *frog*
> con Jean Shrimpton o que Mary
> Quant o John Michael le tomarán
> las medidas para sus pantalones cam-
> pana. Pero podemos señalar en su
> dirección y decirle qué es lo que
> ellos representan.
>
> KARL DALLAS

Dallas y Fantoni (ah cómo me gusta el sonido de ese
dúo, de ese duetto, que parecen personajes de Gilbert
y Sullivan) son el editor y el ilustrador de un librito, de
un fascículo que se llama, por supuesto, *Swinging
London*—a guide to where the *action* is. Esta guía
(no para sino) de donde ocurre la *acción* se publicó
por primera vez en 1967, fue revisada en 1968 y está
dedicada, entre todas las personas, a Marshall McLuhan!

7

Wow que al revés quiere decir wow y también wow en el espejo.

David (Bailey) que engendró a Jean (Shrimpton) que engendró a Celia (Hammond) que no engendró a Twiggy (delicado monstruo fabricado por ese Victor Frankenstein de la moda, Justin de Villeneuve) que finalmente fue suplantada por Penelope (Tree), de Ithaca, N.Y.

Courreges que engendró a Mary Quant que prácticamente engendró las miles de *shops*, *boutiques* y tiendecitas que infestan Londres. Pero si Mary y David (como en la Biblia, como en el partido comunista, como en Hollywood nadie se llama por su apellido en Lwinging Sondon) inventaron a la Shrimp (o La Gamba como apropiadamente (gamba = camarón = pierna) traducen los madrileños) y la mini-falda como micro-filosofía de la vida cotidiana, Penelope Tree barrió con su falda ese presente hacia el pasado y ahora ella pasea su figura bárbara, su porte extraño y su nombre extranjero por dondequiera en Sw ng ng L nd n. La Tree ripió, hizo retazos la imagen de la muchacha moderna y saludable pero a la vez rechazó la caquéctica elegancia hermafrodita de Twiggy, y parece el negativo de Vampira—la piel casi negra de sol o de afeites, las ojeras blancas y el pelo cenizas. Un reverso más: quien logre verle los tobillos por debajo de sus interminables enaguas de gitana *pop* conseguirá mucho más que el asombro de un turista escopofílico que mire a cualquier *starlet* en *micro-dress* (o aun en *no-dress*) bailando no el *frog* sino el *rock* en la última discoteca abierta en Chelsea, la del Club dell'Aretusa. (¿Dije el *rock*, el *rock'n'roll*? Sí, la sensación del mes

—¿del mes?, ¡del *mes*!—en Swxngxng Lxndxn, en Swyngyng Lyndyn, en Swinging London no fue el último de los Beatles ni la prisión de *otro* Rolling Stone por drogas ni la resurrección, muerte y crucificción del Maharishi Mahesh Yogi, sino la *aparición*, ésa es la palabra, de Bill Haley con sus Cometas con su sempiterna quijada de *comic-book*, su buscanovio frontal, su sexofón y una nueva tonada:

> One, two, three!
> Rock
> Around
> The clock

(Cachancachín chichancacháchán *I'm gonna rock—around—the clock—tonite*! cha-chán cha-chán cha-chán—cachacháncachacháncachacháncachachánchán.)

Wow! La exclamación perfecta.

Mientras tanto, en el cuartel general de Mary Quant cuánto temblaban. «Oyeron, los Beatles abrieron una *tienda*». Siéntate a la puerta de tu *boutique* y verás desfilar los modelos de tu competidor convertidos en huevos hueros, periódicos de ayer, cadáveres sartoriales. Como en Penelope Tree los bárbaros fueron como una solución.

Ahora que The Fool se ha ido—como diría ese Séneca del bolero, Lucho Gatica—«a navegar por otros mares de locura», puedo decir que lo conocí. (*I knew him well, my dear Horace*. A lo que puede responder Horatio: —*Impavidum feriaent ruinae*.) Conocí a Simon, el animador de The Fool, el grupo, cuando aún no era un grupo. Entonces Simon se pronunciaba Sáimon y no Símon, a la holandesa—Simon Posthuma, casi Simon Post-human. Entonces no eran más que una reducida tribu de gitanos de domingo, venidos de Holanda, de Amsterdam, salidos de entre las filas de los Provos. Entonces ni siquiera tenían una bicicleta blanca y vivían en un apartamento en ruinas (*Impavidum et caetera*) en Westbourne Terrace que por fuera sería una típica casa inglesa de barrio que alguna vez fue de alguna consecuencia pero por dentro (en el dentro de su apartamento, su phlat, la penetralia de Simon y Marijke, pronunciado no por casualidad casi como maraca, Maraika, Simon and Marijke que era como se conocía el grupo antes de ser The Fool) era una tienda mora, un apartamento (no una casa) de campaña, un zoco que parecía un zoo lleno de las más variadas especies decorativas traídas vivas de todas partes del orbe artesano: alfombras persas, signos *mantra, tablas* y *sitars* acompañadas por tambourines, tarogatos junto a zumbadores gobi-yantras, mientras los anfitriones vestían chilabas y caftanes, se tocaban con pañuelos de lunares y usaban botas de *Cuban heels* adornadas con motivos tantra! Wow!!!

(Cuando mi mujer le preguntó a Marijke cómo conciliaba el presunto atuendo árabe con la evidente estrella de David en su cuello, Marijke respondió con lo que a unas cuadras y unas décadas atrás otro famoso residente de Baker Street habría calificado de elemental mi querido Watson: «Nosotros (gesto que podría abarcar una secta) creemos que la ropa no debe tener fronteras ni razas, que debe ser un mismo idioma para todos». De cómo este esperanto sartorial, este volapuk de la vestimenta se convirtió en la última lingua franca de Londres, se habla más adelante cuando se cuenta cómo The Fool llegó a Baker Street.)

La casa, con almohadones y tumbonas por todo asiento, olía, como toda habitación hippie que se respete, a ese doblemente pastoso aroma oriental que es casi el olor del misterio: *agarbatti* y *ghanga*.

AGARBATTI DE L'INDE

Ces bâtons d'encens se fabriquent à *partir* de differentes herbes, résines et essences de l'ambre, de la rose, du musc, etc., et par consequent ils ont une valeur inestimable en ce qui concerne la purification et imprégnation de l'atmosphère dans les chambres de malades, les mosquées, les temples, les hôpitaux, les grandes salles et dans les autres lieux superpeuples. MODE D'EMPLOY: Allumez le gros bout, éteindrez la flamme en la laissant brûler sans flamme.

PANDIT BANASSE, IMPORTATEUR
DE L'INDE

¿Y la *ghanga*?

... it is either smoked or eaten and is known as bhang, charas or ghanga in India, as hashish in Egypt and Asia Minor, as kef in northern Africa and as marijuana in the Western hemisphere.

Encyclopaedia Britannica

11

Simon y Marijke y Josje (pronúnciese, casi a la japonesa, Yoshi) vivían en esta casa donde nunca se echaba llave a la puerta porque no había cerradura, convidaban a los pocos que conocían en Londres, fumaban y pasaban la *huka* como si fuera una bombilla de mate, luego servían cenas macrobióticas (arroz silvestre, cerebro vegetal, habas sin aceite, col cruda, quimbombó, ajíes, frijolitos soya y quizás un poco de huevo cocido o algún yogur o crema agria pero nada de ave ni de carne ni pescado) y después del té de Ceilán y otra vuelta de la pipa hacían música en interminables escalas de apenas siete notas con las que Simon a veces entonaba un *jati* o hacía una breve *gamaka* sin llegar jamás a completar la *raga* en su *shahnai*, mientras Josje y Marijke al fondo lo acompañaban con panderetas frecuentemente al unísono. Sobre una de las paredes se proyectaban luego movibles manchas al aceite iluminado, cuyas volubles geometrías se confundían a veces con la invariable asimetría de las grietas.

La escena hace FADE OUT = FADE IN sobre uno de estos *rorschachs* escurridos y un año después se puede leer en un número especial del magazine del *Sunday Times* dedicado al Underground, llamado por el periódico The New Society, lo que sigue:

Pase por la casa de George Harrison en Surrey y sus ojos se fijarán en su chimenea ricamente decorada toda ella con escenas brillantemente pintadas de exuberantes figuras reclinadas sobre una vegetación lánguida. La misma flora y fauna crece sobre el piano de John Lennon y las guitarras y tambores del grupo The Cream. El mismo estilo se hace aparente en las cubiertas oníricas del nuevo LP de los Hollies y de la

12

Incredible String Band. Si alguien pregunta de dónde sacaron los Procol Harum su ropa de escena color escarlata o qué llevaba Marianne Faithfull mientras se apresuraba por los salones de la aduana del aeropuerto, la fuente de todo ese colorido es la misma: The Fool.

En el negro absoluto entre *fade* y *fade*, Simon y Marijke de desconocidos inmigrantes habían pasado a ser más notorios que cualquier grupo pop con la excepción de los Beatles, los Rolling Stones y, tal vez, los Procul Harum. A todas partes que iban, si no los seguía una multitud fanática los perseguía una muchedumbre de ojos muchas veces frenéticos—porque ellos vestían el mismo atuendo arcoirisado en la casa y en la calle, de día y de noche, en invierno y en verano, pobres y... sí, ¡ricos! Además de que habían hecho la ropa, pintado los decorados y actuado (y hecho música) en una película que lleva guión de este testigo ubicuo (¿ubicuo? Sí, The Fool, ahora que un inglés, Barry Finch, se había juntado—nadie se casa ya *under ground*—a Josje para formar el cuarteto, The Fool estaba en todas partes del ya-sabenqué y eran como sus dioses importados porque también estaban en su centro, que es como decir el Olimpo: ¡Beatlelandia!), además de que vendían *posters* dibujados por Marijke y pintados por Simon (o viceversa), además de que su estilo sartorial comenzaba a ser copiado dondequiera, The Fool abrieron la más nueva, influyente, rica, alegre, resonante, universal y amorosa (*love is all you need*) *boutique* de Londres, que es como decir el Mundo para el mundo pop. Igual que si afirmaran el peñón de Gibraltar con hormigón, la tienda no sólo estaba financiada sino apoyada por esa fábrica de melodías y carisma que se llama popularmente The Beatles pero que en el registro de la Real Ciudad de Westminster y de la City es conocida como The Apple Company, una razón comercial. Para formar el triángulo agudo de la moda (Carnaby Street en Soho fue la primera avanzada del progreso establecida por John Michael, King's Road fue la otra cabeza de playa conquistada por Mary Quant en el centro de Chelsea) escogieron una calle que otro fanático del atuendo en conjunción con reflexivas melodías (de violín) y la iluminación interior de la droga, hizo famosa: Baker Street. Ahora los Irregulares de la calle no sólo vivirían para el culto póstumo a Sherlock sino en el cultivo futuro de Simon—post-Holmes, Posthuma.

Fue así que la hipotenusa casi hizo naufragar a los anteriores catetos sartoriales, Baker Street empezó a ser a King's Road lo que antes fue King's Road a Carnaby Street, y Simon y Marijke, Josje y Barry se mudaron para un barrio que en los tiempos heroicos del *underground* hubieran considerado anatema.

> Los cuatro que son The Fool viven y trabajan juntos detrás de la linda puerta azul medianoche decorada con estrellas de seis puntas amarillas, en Montagu Square.

(Montagu Square, no lejos de la casa en que vivió Anthony Trollope y muy cerca del costado elegante de Hyde Park.)

> Desde que The Fool (toman su nombre del bufón de las cartas del tarot) llegaron a Inglaterra hace un año de Holanda vía África del Norte, encontraron que la manera en que visten, pintan y piensan se ha convertido en una parte muy influyente de la escena pop.

14

(La ignorancia del biógrafo deja ver por transparencia la sabiduría del personaje biografiado. Simon posiblemente aludió al tarot pero, si no estaba tomándole el pelo—o tal vez cumpliendo una verdadera función de enano de la corte, *pulling his leg*— [1] al entrevistador, mostraba una modestia de verdadero tonto, recordando tal vez lo que ocurrió a sus antepasados, los antiguos, artífices de la tontería como sabiduría, conociendo parece lo que ocurrió al último bufón real francés, L'Angely, a quien el parapeto del trono no protegió de la ira de sus dianas sarcásticas, desterrado de la corte por el propio Luis XIV «por impertinencia». Más más tarde.)

Para Año Nuevo, por la primera vez, sus ropas y pinturas estarán a la venta para todo el mundo.

(Que Simon sabía lo que se traía entre manos lo muestra la inauguración de la tienda, que fue una exacta reproducción de las *feasts of fools* del siglo xv, cuando los miembros de las sociedades de tontos seculares organizaban las celebradas *soties* terminadas en verdaderos *strip-teases* satíricos, donde los participantes al quitarse las togas eruditas mostraban debajo el abigarrado disfraz del bufón.)

La noche del coctel de apertura de The Apple Shop (bebidas: zumo de manzana, jugo de naranja y té) en

1. La sabiduría de nación inglesa a veces produce obras maestras capaces de abochornar al español—si los idiomas tuvieran vergüenza. Así, mientras nuestro tomar el pelo es tirar de la pata, nadar y guardar la ropa se convierte en comer el pastel y conservarlo también, y entre la espada y la pared pasa de una típica situación de camorristas a ser reflexión metafísica: entre el diablo y el profundo mar azul.

diciembre pasado hubo como una culminación: el péndulo del Londres Pop (y, ¿por qué no decirlo?, del *underground* también) llegó a su máximo punto de vaivén. Desde el Bentley decorado psicadélico [2] de The Fool y los Rolls multiplicados por cuatro de los Beatles hasta soturnos taxis y bastardos multicolores, toda clase de vehículos transportó toda clase de gente hasta el número 94 de la calle Baker, que hace lo que en La Habana Vieja se llamaba esquina de fraile—la parte más fresquita de la acera de la sombra.

Ciertos descotes propiciaban la pulmonía a su casi caquéctica portadora mientras los abrigos de *racoon*, zorro rojo de Canadá o zorra (no me pregunten cómo se determina el sexo en las pieles) de China, y no pocos *minks* y *genets* se frotaban magníficos contra el terciopelo sarnoso de años comprado por una o dos libras en Portobello Road, el rastro o mercado de las pulgas local. Dentro de la tienda había un calor tan marroquí como el aspecto de la ropa que se exhibiría a partir de mañana. El saloncito de exhibición y el sótano, bajotienda más que trastienda, preparados para tal vez cincuenta clientes en tiempos de rebaja, albergaron esa noche más de trescientas personas—¿o debo decir personalidades? En esa confluencia en que el Londres elegante y dandificado se dio cita con el *underground* y el mundo pop.

A mí me habría gustado poder encontrar en cada uno de los rincones de Apple a los opuestos, encontrados *genii locii* de ese festín, fantasmas materializados, manes

2. Como nadie sabe no ya traducir sino siquiera deletrear correctamente este término popularizado por el doctor Leary, propongo que psychedelic se escriba psicadélico. Me gusta ese acercamiento a sicalíptico.

qua a veces son desmanes. Ver un Henry James de espiritistas desaprobando un té casi a la hora de la cena, ¡ridículo!, y además ese barullo americano fundido a la anarquía continental no tiene nada que ver con la Dulce Albión. Gozar a un Oscar Wilde espiritual aprobando a un dandy particularmente bello—¡para caer en el horror de su error al comprobar que es Marianne Faithfull! Percibir a Verlaine, espirituoso, moviendo negativamente la cabeza al conocer la ausencia de alcohol, molesto porque la bohemia se baña y perfuma. El cuarto man, Scott Fitzgerald, como siempre espiritado y garrapateando apresurado una nostálgica lista de invitados:

John, Paul, George y Ringo
Mick Jagger
Brian Jones
Keith Richard
Cynthia Lennon
Patti Harrison
Marianne Faithfull
Cilla Black
Suki Poitier
The Bee Gees
The Pink Floyd
The Incredible String Band
Nigel Waymouth
Engelbert Humperdinck!
Vidal Sassoon
Arthur Brown
Jean Shrimpton
Pauline Forham
Alan Freeman
Barry Miles

17

John Hopkins
Judi
Simon Dee
Mary Quant
Victor Spinetti
Richard Lester
Edina Ronay
Joe Massot
Twiggy and Justin
Richard Neville
Iain Quarrier
Henrietta Guinness
Ben Carruthers
Vic Singh
Tony Hall
Brian Walsh
Jimi Hendrix
The Procul Harum
Michael Cooper
Roe Dominguez
Gala Mitchell
John Pearse
Genevieve Wate
Vivian Ventura
Mark Warman
Denny Cordell
Mim Scala
Claire Gundry-White
Sir William Piggot-Brown
the Hon. Michael Pearson
y
Miriam Gómez y el ejército rebelde.

(Quien no estuvo allí padeció el mal de Crillon —«Ah, bravo Crillon, ¡cuélgate! Hemos batido al conformismo en Apple y tú no estabas».)

En un viejo *cartoon* de *Punch* dos labradores sajones conversan no lejos de un castillo. Uno de ellos aparece sonriente mientras dice al otro, con cara de conocedor: «¿Sabes una cosa? Hoy termina la Edad Media». La eficacia del chiste viene de la cotidianidad de la situación frente a la enormidad de sus implicaciones. La sonrisa del labrador informado no sería diferente si viniera a decir que su hija se casaba el domingo, el otro labrador parece dispuesto a seguir arando, el castillo se ve sólido, eterno, sin embargo todos están presenciando si no una catástrofe al menos una crisis histórica. Aunque la gestión del labrador no tiene visos de profecía—es un simple aviso, lo que hoy llamamos un anuncio—, el dibujo no está muy lejos de aquella revelación de Mark Twain que da la vuelta al mundo en barco y escribe en su diario: «Hoy cruzamos la línea del Ecuador. Mary tomó fotos».

Pero hay situaciones de una enorme consecuencia histórica que parecen triviales a sus espectadores—y aun a los protagonistas. Ninguna ilustración mejor que la respuesta que da Poncio Pilatos ya viejo cuando le preguntan por Jesús en «El Procurador de Judea»: «¿Jesús de Nazareth? No, no recuerdo a nadie de ese nombre».

Todos, nosotros y los de la lista, todos nosotros no sabíamos que esa tarde de diciembre terminaba una edad de oro. En ese momento todo era fiesta, jubileo, un evento brillante, «alegre, envuelto en ese glamour de final fe-

19

liz eternizado que produce el éxito». Allí, en Baker Street conquistada, nadie sospechaba que ese esplendor era un plano inclinado, que actuábamos como Agamenón aceptando la alfombra roja para regresar a la casa de los Atridas, que el convite era un desafío a los dioses titulares de la calle.

En aquella cima no podíamos ver que a partir de entonces todo sería decadencia.

No se sabe con certeza cuándo empezó el fin de esa edad de oro. Ni siquiera se sabe qué salió mal. Sí se sabe que algo cedió. Hay más que augurios, indicios o señales de humo. Hay pruebas, hechos, hitos históricos—y hasta hubo uno de los elementos de la tragedia, el anticlímax. Hay también rumores. Pero es mejor acudir a los hechos. La primera prueba pertenece al fiscal.

Puedo tolerar los ruidos del *pop* y aun la fatuidad de sus practicantes. El *pop* se ha convertido en un ruido que dura todo el día y así es una forma de silencio. Lo que no puedo tolerar es los farfulleos de los intelectuales—el artículo serio en *The Times* sobre el Arte de los Beatles, los recientes pronunciamientos de Kenneth Tynan de que el nuevo LP de los Beatles es el acontecimiento artístico del año, la declaración de Marshall McLuhan en una conferencia erudita sobre que «los Beatles nos miran elocuentes con sus nuevos modos de percepción sensorial». ¡Dios nos coja confesados! Los Beatles no son más que pelo, dólares y cuatro condecoraciones reales... (Una versión del infierno sonoro.) 45 r.p.m. por siempre jamás... un Ringo eterno batiendo las membranas del tímpano, Cilla Black chillando sus constricciones laríngeas en el interior del seno mastoideo, los canales semicirculares anegados con los Procul Harum, los Stones bloqueando como piedras la trompa de Eustaquio. ¡Piojos electrónicos!

Esta parrafada forma parte de una larga diatriba aparecida, es verdad, entre los pilares del Establecimiento —las columnas de *Punch*. Pero el artículo (*de mortuis*?) está firmado por Anthony Burgess, uno de los más importantes escritores ingleses vivientes. Burgess es un iconoclasta, es cierto, y un compositor fracasado—más que eso: él mismo confiesa que tuvo una vez un grupo de música popular allá por los cuarenta. Pero también es un escritor de una honradez a prueba de demagogias. Burgess el cantor de Joyce considerado como un Homero dislálico en *Re Joyce*, Burgess el novelista inútil y brillante de *Inside Enderby*, Burgess el prolífico termina su artículo con esta condena:

> Y al mismo tiempo son muy poca cosa para el infierno... Ya están bien castigados con ser lo que son.
> (*Puch*, 20 Septiembre 1967)

Esta frase lapidaria fue la primera piedra, pero antes hubo como un epitafio. Con la muerte súbita de Brian Epstein—descubridor, promotor, inventor casi del grupo—los Beatles iniciaron una visible decadencia—y ya se sabe que SL gira, 45 r.p.m., en órbita elíptica alrededor de esta estrella de cuatro puntas con pelos.

> Sin Brian jamás habríamos llegado a ser lo que somos.
> (Entrevista con PAUL McCARTNEY)

21

1967 fue un año a la vez fausto e infausto para los Beatles. Nunca antes fueron más famosos o más ricos o más poderosos. A fines de año, a sólo cinco de haber formado Epstein el grupo, habían grabado 10 *long-playings,* 13 *extended-playings,* 20 discos sencillos, y habían vendido 210 millones de *singles.* En ese lustro sobrepasaron a figuras de viejo establecidas como Bing Crosby, Frank Sinatra y Nat Cole, y solamente los superó, por poco margen, Elvis Presley. Ni siquiera el mítico Bob Dylan, a quien una vez los Beatles imitaron, les seguía de cerca en popularidad mundial. El poder de los Beatles es no sólo financiero o melódico, también son como una suerte de sucedáneo de los símbolos nacionales (en Timbuctú, por ejemplo, John Bull es hoy un desconocido, mientras John Lennon es un *bí-tel,* una deidad sonora), un sustituto de la realeza (en muchas partes del antiguo imperio los Beatles comparten el trono con Isabel II) y encarnación de uno de los mitos de la raza, el *arbiter elegantiarum* sajón que aparece una y otra vez en la historia de Inglaterra: el folklórico escocés Andrew que dio su nombre al dandy y sus avatares históricos—sir Walter Raleigh, Carlos II, Beau Brummel, Oscar Wilde y los dos eduardos reales, Eduardo VII y el duque de Windsor. Como culminación, los Beatles no sólo influyeron profundamente en la moda sino en el *modus—vivendi* y *operandi.* Cuando John Lennon declaró: «Somos más populares que Cristo», estaba más enunciando un hecho que vanagloriándose. Pero también estaba cometiendo un peligroso *hybris.* La frase por muy poco no fue otras *famous last words,* y aunque los Beatles se envolvieron en el capullo cacofónico de las grabaciones (al suspender sus apariciones públicas poco después del *faux pas* ellos completaron el diseño de su laberinto carismático: un centro misterioso, mítico y por tanto inaccesible, que es la isla de sus vidas privadas, rodeado por fosos de personal aislante y cercado por círculos excéntricos de apariciones fugaces en un aeropuerto, un raudo Morris Cooper con ventanas negras, un *videotape* (*Love is all you need*) hecho público a escala mundial pero grabado en un impenetrable *sancta sanctorum* de la BBC, un teatro con un letrero que dice TODO VENDIDO, fuera y dentro sólo cuatro lunetas ocupadas, y mansiones con muros, zenanas y senescales) esa declaración estaba pidiendo un ajuste de cuentas. Por supuesto, la *vendetta* se cumplió en el momento preciso que se hicieron de nuevo visibles.

Pocos acontecimientos públicos ocurridos en Inglaterra en los últimos cinco años tuvieron la publicidad previa al estreno por la primera telemisora (BBC 1), a la hora tope (ocho y treinta de la noche), el día más doméstico del año anglosajón (26 de diciembre, *boxing day*), de una *opera d'essordio*: «El primer film producido, filmado, actuado, musicalizado, dirigido y editado por los Beatles», sin más intervención extraña que las posibles musas. (Pero es peligroso confundir a las piérides con las hijas de Piero, esas nueve niñas que al retar a otras tantas diosas vieron su presunción castigada con una hórrida mutación en urracas: *Wagner ist tot*.)

Magical mystery tour es un desastre casi total, y la única excusa posible en ese casi—que es *solamente* un desastre visual—es una pobre defensa porque el film pretendía ser una visualización del orbe musical de los Beatles. Es decir, una metáfora de una metáfora. Es decir, una tautología. (Paradójicamente, la media docena de canciones que intentaba servir de aura sonora a ese mágico misterio en forma de viaje, ese *sightseeing* pretendidamente maravilloso, contiene sucesivamente una de las baladas más embrujadoras que ha hecho el grupo, «The fool on the hill», un acabado ejercicio de nostalgia futura, «Your mother should know», y la única equivalencia musical jamás realizada del mundo arbitrario, sin sentido y fantasmal de la onirolalia carroliana, «I'm the Walrus»—la excelencia musical evitando lo que el film demandaba: cerrar los ojos y contar hasta cien.) El día de *boxing* los Beatles abrieron su caja de Pandora y el sésamo ciérrate lo pronunció Bernard Levin, un columnista de un popularísimo diario vespertino, que escribió (inscribió) con su dedo clerical esta cruz de ceniza en la frente del ídolo: «El carisma de los Beatles acaba de agotarse anoche».

Meanwhile, back in the shop las cosas no iban tan bien como debían—o como parecían. El éxito hacía olas. La tienda atrajo presuntos clientes que nunca se habían visto por los alrededores. Pero cuando los potenciales se hacían clientes efectivos, la ropa mostraba una calidad típica para los conocedores pero decepcionante para el comprador. No es ganga todo lo que brilla en El Dorado. Finalmente, The Fool, que nunca participaron de la súbita acogida a sagrado en los pagos del Maharishi («"Nosotros tenemos nuestro propio *swami*", dijeron no sin orgullo», escribió el *Sunday Times*), rompieron más o menos amigablemente con los Beatles y abandonaron The Apple Shop por la puerta trasera. Se irían a evangelizar otras tierras. Simón llamado Sáimon llamado Símon finalmente siempre tuvo algo de profeta. Lo oí discutir un día en su extraño inglés, mezcla de holandés, dialecto de Liverpool y jerga *jive*, apasionadamente, acaloradamente con Assheton Gorton, el director artístico de *Blow-up*, sobre una pared que llevaría un dibujo de Simon y Marijke amplificado. Fue en el *set* de *Wonderwall* y Simon temía que su extraordinaria mano para el dibujo se viera traicionada al crecer. No podía, por razones sindicales, pintar él mismo el mural, y la transferencia del papel al panel había que hacerla por proyección a escala. El intermediario sería eso que llaman en inglés un *scenic artist*—que en la pronunciación de Simon sonaba más a artista cínico que a escenógrafo. «Havlaré con el cinicartist, *man*», dijo Simon. «Cuando él hable conmigo verá que no soy yo el que hizo el dibujo, que yo no soy más que la mano, que dibujan (señalando a todas partes) a través de mí». Esta mediumnidad gráfica ha hecho a Simon un misionero: Amsterdam, Argel, Londres—y ahora Nueva York. Marijke, ya se ha visto, siempre fue una catequista de la moda y Josje y Barry se dejan arrastrar por el maestro que es el *maelstrom* del grupo. En este momento todos viajan hacia América en su Bentley psicadélico. (Para mitigar asombros puedo añadir que el Bentley, como The Fool, abordó un barco de la Cunard Line en South Hampton.)

¿Qué es esto? ¿El anticlímax prometido? ¿Un *happy ending* en que el vapor navega rumbo a un cielo que es un arco iris plástico? No, todo lo contrario. Pero antes, un paréntesis musical.

(*Swinging London, swinginglondon, swinginglon, swingin, s'wing, sin win.*)

25

Hubo algo más, sin embargo, que el fiasco de *Magical mystery tour*. Si en 1966 se demostró que los Beatles no podían inventarse pero podían ser reproducidos en el laboratorio (vg. The Monkees), en 1967 tuvo lugar un fenómeno que es usual en la composición de una canción pero que es todavía original en la fabricación de un cantante—aun de un cantante popular. Este proceso novedoso es en realidad una inversión: primero la letra, luego la música.

Gerry Dorsey era un mediocre cantante inglés nacido en la India que hacía *tours*, sin magia ni misterio, por los clubs masculinos de Inglaterra. Hasta que su manager escuchó—por azar—la obertura de *Hansel y Gretel*, la ópera, y dándose una palmada en la frente exclamó, *That's it!* ¿Se dedicaría en adelante el joven y mediocre Dorsey al bel ¿Dejaría el mediocre y apuesto ¿Desertaría el apuesto y mediocre Dorsey (sin parentesco con los hermanos Dorsey) el mal canto por el bel canto? Nada de eso. Lo que hizo Gordon Mills, su apoderado, fue cambiarle el nombre a su cliente y Gerry pasó a llamarse Engelbert Humperdinck. Como por arte de magia onomástica, de ahí en adelante todas sus cartas fueron triunfos. Exactamente en enero de 1967 apareció el cantante en el London Palladium, coincidiendo con la salida de su disco *Release me* (*Suéltenme*). Fueron un solo éxito instantáneo. *Release* me llegó al número uno en el diagrama de *Top of the pops* y Gerry, perdón herr Humperdinck, se convirtió en omnipresencia en el programa *Top of the pops*. En diciembre, con otros tres hits más a su haber, Engelbert fue declarado el cantante del año, cantando siempre esa variedad del pop que se llama *sweet corn*, etiqueta que un traductor caritativo podría llamar dulce cursilería en español. Preguntado por las causas de su éxito, Engelbert Humperdinck II fue sincero: «Creo que tiene algo que ver con mi nombre, ¿no cree?», dijo. *What's in a name?*, preguntó Shakespeare a Julieta. Ahí tienen los dos la respuesta.

Nada está tan necesitado de éxito como el éxito.

Una vez compuse una apología de *Londinium oscillantis* para una revista editada en Lutetia y una ilustre profesora de literatura latina quiso escribir indignada a «Cartas al editor» algo que sonaría así: «Pero ¿cómo no habla su corresponsal de los verdaderos problemas sociales de Inglaterra?» La protesta erudita no se escribió nunca y así nunca pude responder a esa carta-protesta por boca de Oscar Wilde. No iba yo más que a transcribir ese epigrama que dice que la reforma del atuendo es mucho más importante que la reforma de la religión—con un apéndice supurado. La política no es más que la religión por otros medios.

Pero ahora, sin presiones demagógicas, puedo mencionar de pasada a Enoch (el hijo mayor de Caín, que fundó la ciudad de su nombre en la provincia del Antiguo Testamento, que vivió, como todo héroe solar que se respete, 365 años, tiempo en que engendró a Matusalem, héroe de casi cósmica o cómica longevidad, Enoch escritor pseudoepigráfico, Enoch hijo del sol aunque un anagrama de su nombre sea la noche), ahora apellidado Powell, que es un síntoma de que el péndulo de Londres atrasa—aunque tal vez un síntoma mayor o peor sea ver, de nuevo, tanta gente llevando ese atuendo

27

que hace solamente un año era como un desafío reaccionario, individual a los colores tribales del *swing*: pantalón formal a rayas, negra chaqueta mañanera y bombín.

Dallas y Fantoni se contentarán con añadir una nota al pie de la página diciendo que *I was Lord Kitchener's valet* abrió una sucursal en King's Road con la mona osadía de sustituir la palabra valet por cosita—*I was Lord Kitchener's thing*! (Wow.) O tal vez con señalar que los Beatles plantaron una rama de su Apple también en King's Road. ¿Pero es que están ciegos al color blanco, al negro? Todos esos bombines soturnos, toda esa gente disfrazada de Sherlock Holmes y Watson yéndose en peregrinación calvinista a las cataratas de Reichenbach para ilustrar con *tableaux vivants* un solo cuento de Conan Doyle, recibiendo una publicidad tremenda, mientras que Simon y Marijke (y Josje y Barry) son los nuevos peregrinos navegando hacia el Nuevo Mundo no en otro *Mayflower* pero sí en el mes de mayo, ellos mismos las flores, ¡y nadie dice nada! ¡Dallas y Fantoni! ¡Dalas y Phantoni son lo que son! ¡Palas y Dantonis, Dalantonis—Daltonis! Ni siquiera vieron que como culminación pintaron el mural multicolor de Apple todo de blanco. Tampoco oyeron las razones del ayuntamiento que declaró al fresco *jolly good* pero con el mismo aliento sentenció que estaba mejor en Carnaby Street o en King's Road, ya que había que conservar el carácter Georgiano de la esquina. Wow! Wow!

Tampoco vieron las otras señales del fracaso. A veces eran tan evidentes que tenían que disfrazarse de señales de éxito. Pero eran igualmente detectables—¿o debiera decir detestables?

Tendré que apuntarlas con el dedo.

Radio Carolline, Radio London, Radio Luxembourg ya no son más: se fueron del aire, se desvanecieron. Las emisoras piratas ya no regalan su botín sonoro. Ahora hay un corsario en el aire, Radio One, de la BBC—pero la libertad de la anarquía musical, ese *continuum pop*, se perdió en el silencio.

«Lady Madonna» vendió millones de discos pero no estuvo mucho tiempo en el primer lugar, ni aquí ni en USA: una victoria pírrica de la popguerra.

Maharishi Mahesh Yogi, totalmente desconocido hasta el verano de 1967, después famoso de la noche a la mañana porque los Beatles fueron a oírle una charla, más tarde más famoso que Cristo por caminar junto a los Beatles, un poquito después casi tan famoso como Dios porque caminaba delante de los Beatles, los guiaba, era su maestro, casi como decir el *guru* de los *gurus*, el guru-guru—y de pronto... tan humillado como una consorte musulmana. Los periódicos de todo el mundo ya lo expresaron en su forma indiscreta, en letras de caja alta y 120 puntos negras: BEATLES REPUDIAN AL MAHARISHI. (Maharishi, levántate y anda y... *drop dead!*)

Brian Walsh y Sonia Dean eran la pareja perfecta de estos lares latentes—ella una bella modelo, él un bello actor. Andaban juntos por dondequiera, aun en el cine: ella anunciaba los helados en los comerciales del intermedio, él hacía apariciones fugaces en films como *The touchables*, *Alfie*, donde fue el último amante de Shelley Winters con un método de actuación que debía más a Stekel que Stanislavsky.

Todavía miro hacia atrás con dulzura a los domingos de Wimbledon, pasados en su casa casi vacía, todos sentados por el suelo, mientras en el jardín jugaba con su sombra Hermann Hesse, un hermoso cachorro de *boxer*, y en el comedor con techo de invernadero, bajo el turbio cristal protector, se calentaban los *hamsters*, esos animales amables que jamás se insolentaban cuando una mujer al verlos gritaba y buscaba en vano una silla a que subirse, creyéndolos ratones. Desparramados por la sala estaban los huéspedes: Samantha Eggar, a veces, y su marido Tom Sterns, Ben Carruthers, Iain Quarrier, Roman Polanski, Jack McGowran... En fin, ¿para qué seguir? ¡Qué tiempos, señora profesora (perdón por la rima), qué tiempos! ¿Cómo iba nadie a acordarse de la sociología, de la historia pasando como el río de Heráclito, de tanta turbulencia por venir, de aguas negras o blancas, cuando el péndulo del Big Ben se movía tan momentáneamente eterno, tan fugazmente estático en cada uno de sus puntos de vaivén, cuando la Torre oscilaba tan sólida, cuando decidíamos que a través de la niebla del humo se ve mejor el paisaje interior, mientras en el tocadiscos nos prometían nuestros dioses campos de fresa para siempre?

Ahora Brian y Sonia no son ya Brian y Sonia más, y hasta han quitado su anuncio de los cines. Sonia tiene un hijo y Brian, un dandy irlandés, ha ido al encuentro de su antiguo artífice y se pasea por King's Road con la sobrina-nieta de lord Alfred Douglas, *ci-devant* Bosie. (Para los incrédulos un colofón pertinente: el heterosexualismo está de moda—es por eso que el homosexualismo es legal ahora en Inglaterra.)

Claudie Barre vino del París inmóvil o repetido junto al Sena a *Le Swingín Londón*, a su corazón, a Chelsea, buscando el secreto de su movimiento y la fama. Lo que encontró fue el secreto de la quietud—la muerte. Aunque por un momento llegó a ser famosa: su retrato estaba impreso en pasquines que la policía pegó por todas las paredes de King's Road buscando una pista de su presunto asesino. Sólo conocí a Claudie un día en casa de Iain Quarrier. Apareció un momento a hablar con Miriamme, una modelo francesa que vivía con Iain entonces y que hoy está de moda en Francia. Traía un monóculo que era una margarita de pintura blanca, lentejuelas y papel engomado, y por un momento su ojo tuvo un destello fétido. No pensé en Polifemo ni en marcianos ni en la glándula pineal porque Claudie, al presentarnos Iain, hizo un ruido de succión con sus dientes más fascinador por inesperado que su ojo plateado. (Por un momento, por un momento dentro de un momento pensé en *The cat people*, cuando la felina Elizabeth Russell interrumpe el banquete de bodas porque saluda así a la novia: *Moia sestra*, y ella, Simone Simón, traduce entre escalofríos al explicar su terror al novio: «Me llamó su hermana». Al salir, Ben Carruthers completó el círculo al advertirme: «Ten cuidado, que es una ninfómana».) No pude atender su consejo porque a la semana o a la semana y media Claudie aparecía en todos los periódicos de Londres (BEAUTIFUL AU PAIR MURDERED) con esa sucinta fama efímera, fatal que tienen, desde que Jack el Destripador mostró entrañablemente que Nerón es posible cada noche, las víctimas de un sádico. Claudie murió como nació—desnuda.

Tara, Tara Browne, el honorable Tara Browne, heredero de la fortuna Guinness, no tenía secreto que buscar—él era el corazón de Londres Latente. Además de fabulosamente rico era bello y bueno: Dorian Gray antes del retrato original. Además de además tenía fama sin el riesgo del éxito: él era el séptimo Rolling Stones, ya que el sexto era Marianne Faithfull. Tara no pudo ser el príncipe azul que parecía, aunque era amante de una Blancanieve psicadélica, Suki Poitier: Tara se mató en su Lotus (para colmo apodado Elan) y Suki iba al lado—el epitafio es cantado y se llama «A day in the life», por Lennon y McCartney. Para reponerse, Suki se hizo novia de Brian Jones, *drummer* de los Rolling Stones y dandy *neck plus ultra*—y para un dandy el amor bien entendido siempre empieza por sí mismo. Suki, decepcionada, intentó suicidarse mientras filmábamos *Wonderwall*. Brian Jones fue capturado, como Duke Mantee, en el último refugio de su bosque petrificado —en noviembre fue procesado por fumar *hashish* y recibió una condena de nueve meses, suspendida por apelación. También fueron procesados antes Mick Jagger y Keith Richard, y aunque los Rolling Stones, esta misma semana, están en el primer lugar con un *single* singular—los muchachos de antes ya no son los mismos. (Ayer, todavía, pasando en limpio estas páginas, me encontré a Brian a la salida del café Picasso, en King's Road, venía con su atuendo *pop*, completo con cartera comando y *setter*. Le pregunté cómo iba su caso: «Mal, *man*, mal», me dijo. Al irse se despidió con su dulce saludo usual: «*God bless*». Traducirlo por «Dios te bendiga» es casi una blasfemia.)

Clouds Have Faces, que el verano pasado parecía ser una colonia de moda(s) establecida en South Kensington para siempre, quebró poco tiempo después que una pedrada jorobada y nocturna rompió sus vidrieras misteriosamente (no hubo robo) una madrugada, y aunque aquí mismo frente a casa, en Spectrum, gocé de este lado del cristal uno de esos extraños ritos que es un paseo de modelos en Londres (para acentuar el símil ritual las modelos danzan, no caminan), pero el éxtasis de la elegancia y la belleza que añaden el movimiento a su canon no me impidió notar una cierta sonrisa indiferente en los fugaces espectadores que seguían a poco su camino. Es cierto que las nubes tienen cara, como dice el nombre de la tienda difunta que parece el título de una canción *pop,* pero no es menos cierto que a veces las caras se nublan cuando se enumeran los flascos modistas—el promedio de vida comercial parece indicar que finalmente toda *boutique* perecerá. (Ahora mismo, en la televisión, a pesar del día nublado y sofocante, Ascot muestra un esplendor que a ratos parece eterno.)

Los fracasos disfrazados de éxito son: Iain Quarrier, el actor (*Cul-de-sac, El baile de los vampiros, Wonderwall, Separation*) que más parece una estrella de cine en SLondon, metido a productor, cruzando ahora en *One plus one* a los Rolling Stones con Godard, que casi equivale a poner música a las diatribas de Cohn-Bendit y convertir sus impromptus de barricada en canciones-protesta. Ben Carruthers (que tuvo su momento de gloria clandestina al estar en la lista de sospechosos en el asesinato de Claudie) regresando a Hollywood a protagonizar un film con Jimmy Brown. Gala Mitchell yéndose a Italia a tratar de hacer el cine que no puede hacer en Londres, ella que con John Pearse eran como Adán y Eva adolescentes de este paraíso artificial cuando los conocí en el célebre sótano de Trebovir Road, donde eran mis vecinos. Él es el animador de Granny Takes a Trip, la anti-*boutique* que inventó vender no *dernier cri*

33

sino nostalgia al poner de moda al rastro. John Pearse formando un grupo de *pop* más al mismo tiempo que la tienda está mudando su fachada: ahora en vez de la Betty Boop *pop* que tenían inicialmente, o el indio de moneda de níquel de hace meses, tiene un automóvil real empotrado en el muro del frontis—y ese auto que sale de la tienda, de entre el cemento, parece que quisiera arrastrar la boutique en su fuga. Michael Cooper, el mágico decorador de la caverna *pop,* el que ilumina el *underground* con luz estroboscópica, Propmeteo tratando de convertir la cámara oscura en lúcida, después de su gran triunfo con la portada del álbum *Sergeant Pepper* en que casó a Nadar con Madame Tussaud y tuvo de testigos a Marx, Lewis Carroll, Einstein, Sonny Liston, Diana Dors, Laurel y Hardy, William Burroughs, Fred Astaire, Shirley Temple, Mae West, W. C. Fields, etcétera, etc., etc., ahora fabrica facsímiles anamórficos de los Rolling Stones bailando sus danzas estáticas frente a engañosas perspectivas de *perspex,* ya que no pudo hacer la película que planeó durante años con un guión de Terry Southern basado en un libro de nada más y nada menos que Anthony Burgess—para volver al principio. (Ése no es el título del libro, el título del libro se puede traducir en *La naranja que funciona como un reloj.*)

Para volver al Principio.

Que es caminar hacia el final.

Me encontré a Simon y a Barry (dónde quedarían Josje y Marijke?) en Soho frente al teatro donde exhiben *No way to treat a lady.* Ellos hacían la cola para entrar, yo salía con mi mujer y el escritor cubano Juan Arcocha. Miriam y Juan se perdieron entre los barriles de huevos centenarios y los pulpos secos y los sacos de frijol de soya y las latas de sopa de nido de golondrinas y de lichi en almíbar espeso y las gruesas de *chopsticks* y una docena de vigilantes ojos rasgados de un almacén de comida china importada de Hong Kong, y yo me acerqué a saludar a los dos Fool. Simon comía una manzana y evitamos la tautología de hablar de Apple. Me dijo que se iba a América, *man,* que fuera a visitarlo, que vivían todavía donde siempre, mismo teléfono, *man.* *Bye-bye. God bless.*

No lo hice nunca. Cuando empecé este artículo (com)prometido llamé a casa de Simon y por casualidad ese mismo día se iban a tomar el barco. Simon no pudo o no quiso hablar conmigo (*partying is such sweet sorrow*) y me alegré porque pude hablar con Barry sin lágrimas en la voz sobre una nota que había en *The Evening Standard* de esa tarde y que traía las fotos que ustedes al otro lado de la página verán perdidas entre estas columnas salomónicas. Las fotos estaban calzadas por estos pies:

ANTES. La diosa mística en su esplendor multicolor en el exterior de la tienda de los Beatles, Apple, sonríe serenamente sobre Baker St.

DESPUÉS. La diosa mística trasciende a otro plano—bajo una gruesa capa de pintura blanca.

—*Yes, it's sad, isn't it?*—dijo Barry con típico *understatement.*

Sí, es verdad que es triste, es triste que es verdad,

es verdad que es triste que es verdad que el blanco de Georgian London haya prevalecido sobre los colores del arcoiris plástico de *pop London pop.* Pero a la vez es un final justo. No porque el blanco sea símbolo del mal, sino porque es el color con que usualmente se entierra a la inocencia.

WOW, se para la página (o el lector) de cabeza y se lee MOM. Estas tres letras son, entre otras cosas, siglas de Moda o Muerte.

¿Se mueve Londres? Todavía se mueve pero parecen más estertores que vaivén, más movimientos reflejos que señales de vida, más inercia que impulso. Si todavía ardiera podría pensarse en el ave fénix, pero el verano se promete solamente tibio y si hay fiebre será la de la crisis. Los síntomas se anuncian en luz neón en Picadilly (ya no más Psicadilly), pero no son más que efectos, *tricks,* no tics. Como último parte quiero señalar algunas causas finales. De descubrir talentos extraños a su país de origen (como en el caso de Jimi Hendrix, que vino a Londres, lo vieron y como quien dice electrizó con su guitarra erótica al mundo *pop*), se pasó a aceptar como último literalmente grito musical a una cantante aborigen descubierta en Francia—Julie Driscoll, cuya primera gracia es un apodo que consiste en pronunciar su nombre Jool a la francesa. Para el *pop* doméstico fue como si Johnny Walker importara whiskey de Armagnac con una etiqueta que dice Jeannot Le Flaneur. Del Sw ng ng L nd n y el éxtasis electrónico del *pop* se

36

pasó a la inmovilidad absoluta, al grado cero del vaivén, a la edad de piedra anímica de la Meditación Trascendental. Del girasol enfermo de Wilde y los tulipanes fláccidos, rosas lánguidas de los *flower children* se cambió al lirio místico del Ganges, de las melenas rubias, rúnicas al ensortijado drávida, de las caras saxonamente lampiñas o el lacio bigote de moda (efímera) o las recurrentes patillas victorianas a las barbas bárbaras—finalmente el tradicional *rice pudding* se hizo *pilau rice*. El acabóse.

> y sabe Dios qué queda de nuestro Londres,
> mi Londres, tu Londres,
> y si su elegancia verde
> perdura...
> atardecer *grand couturier*.

EZRA POUND

CIUDAD QUE SE HUNDE

Un corresponsal que advierte estas cosas me dice que Londres se está convirtiendo en una ciudad capital de las torres vacilantes y los monumentos que se hunden.

Primero reporta que el Big Ben, la torre del reloj, se inclina 15 pulgadas hacia el lado noroeste mientras la torre de Victoria se inclina 15 pulgadas hacia el suroeste.

El Monument en la City se inclina 11 y 3/4 hacia el sur-suroeste. Y la Torre de Londres se mueve lentamente hacia el Támesis.

37

Todo el mundo sabe, por supuesto, que el puente de Londres se viene abajo. Tiene también una definida derrota hacia un lado.

Y aparentemente la catedral de San Pablo hace una lenta pero imponente gavota. El domo se levanta mientras el resto de la estructura se hunde gradualmente.

De hecho, parece que Londres todo se hunde gradualmente—a una velocidad de nueve pulgadas por siglo.

(La ironía final es que esta nota sale hoy, el día que acabo de copiar en limpio este artículo, terminado en Londres, el 19 de junio de 1968. La noticia, el final, lo que sea, hay que agradecerlo, como tantas otras cosas, a ese tabloide, *The Evening Standard*.)

UNA INOCENTE PORNÓGRAFA

MANES Y DESMANES DE CORÍN TELLADO

Larga es la historia de mi asociación con Corín Tellado, a quien, muchas veces y en broma, llamé Corán Tullido. En 1953 la encontré por primera vez. Entonces adoptaba la forma de innúmeras y detestables galeras (palabra que prefiero a galerada porque evoca el trabajo forzado, la prisión y la claustrofobia) de prueba que yo debía corregir para *Vanidades*. (En ese tiempo *Vanidades* era «la revista de la mujer cubana», hoy su dedicación se ha hecho continental, pero Corín Tellado sobrevive todos los naufragios.) En 1956 inventé o realmente oí decir que se trataba de un sindicato (o guilde) de escritores que escribían bajo el gran manto protector y femenino de su nombre de soltera. En 1965 supe que era una «española de verdad» y que es, para asombro de muchos pero no mío, el «escritor español más leído de todos los tiempos», incluyendo, por supuesto, a Miguel de Cervantes, quien «no es tan conocido», reconoce su tocayo Unamuno, «—y menos popular—fuera de España—ni aun en ésta—como aquí suponen los literatos nacionales».[1] En 1967 Corín Tellado cabalgó de nuevo (o todavía). Ahora en forma del gran pacificador—anglicismo suave que sustituye a la palabra oriental delirio, a la habanera chupeta y a la más académica y no menos errada biberón—de mi hija Anita (edad: doce años cum-

1. Prólogo de *Niebla* (Madrid, 1935).

plidos; disposición: calificada por ella misma de «sentimental y boba»; estado físico: una adolescencia incipiente, que comienza por sudores fríos, melancolía y nostalgia del futuro), que se pasa las horas muertas y vivas leyendo esta biblia cursi y citándola como si se tratara de La Bruyère, y de hecho, muchas veces y sin saberlo, cita a La Bruyère, citado a su vez por la señora Tellado a menudo, tanto que la púber lectora londinense, tal vez impelida por el feminismo rampante de la autora, al encontrar una nueva cita preguntó: «¿Y quién es esa señora La Bruyère?»

A esta pregunta siguieron otras: «Papi, ¿qué quiere decir psicópata?», «¿Qué es una alergia?», «¿Qué es forense?», que remitían al diccionario o al diccionario médico. Pero había preguntas que el diccionario común no podía responder: «Papi, ¿cómo se sabe si un matrimonio no se consumó?» Entonces recordé las lecturas forzadas, de las novelitas que *Vanidades* atesoraba como una ostra celosa. Allí había escenas en que lo cursi o simplemente trillado era seguido por descripciones que debían tanto a Rafael Pérez y Pérez como a José María Carretero, el prolífico pornógrafo mejor conocido como el Caballero Audaz. Recordé el diseño de una o de todas las novelas de Corín Tellado, donde el dibujo forma un triángulo en que los catetos son amor posible, amor imposible y la hipotenusa es inamorposible. Abundan, por supuesto, las peripecias sentimentales, marcadas por encuentros amorosos que son jalones de una historia romántica. Allí se ven (la prosa es efectivamente descriptiva) hombres femeninos temblando de amor, besos apasionados, caricias que expanden (o anulan) la percepción, labios como puertas-vaivén, ojos maravillosamente cegados, manos que acarician con suavidad (y eficacia) de taladro, abrazos en que se funden y confunden los cuerpos. En fin, toda la parefernalia tumescente de la literatura erótica, pero envuelta en la aparente asepsia de los eufemismos.

El ensimismamiento de la joven lectora, las preguntas cada vez más cerca de la diana sexual, el consumo devorador de ejemplares, me hicieron acercarme —y de nuevo leer— a Corín Tellado. Este azar de lectura fue provocado por una hybris demasiado frecuente.

Se peinaba ante el espejo. Sobre la bonita combinación de encaje, aún vestía la bata de casa.

Tras ella, mirándola largamente a través del espejo, Adolfo se mantenía inmóvil. Sólo de vez en cuando, en uno de aquellos impulsos tan suyos, se inclinaba hacia adelante.

Un día entero para quererse... Era un cariño como un manantial inagotable. Como una fuente cuyo caño mana y mana sin cesar jamás. Ella nunca pensó que el amor fuera así. Que el matrimonio encerrara en su lazo íntimo tantos goces... Y eran tan intensos, turbadores y verdaderos... Adolfo estaba allí para demostrárselo.

Hablaban muy cerca el uno del otro. Ella se peinaba, él jugaba con su pelo.

—No me dejas terminar.

—Me es tan difícil verte y no tocarte.

—Adolfo... ¿Sabes desde qué hora estamos juntos?

—Sí. Desde las ocho de la mañana —la tenía sujeta por los hombros, perdía sus dedos nerviosos en la nuca estremecida.

Atalí se estremeció a su pesar...

La tomó en sus brazos. Jugó con sus labios, habla-

ba y besaba a la vez, con aquella lentitud que la ena-
jenaba.

—Estáte quieto.

—¿Puedo?

—¡Oh, cariño! Empiezas y yo…

—Tú ardes como yo ardo.

Siempre igual. Hubo de perder sus labios en la boca masculina… Él la miraba ardientemente.

—Tengo que terminar. Por favor…

—Te ayudo…

La puerta de la alcoba estaba abierta. Adolfo fue
hacia ella y la cerró con el pie… ya estaba de nuevo
a su lado. Le quitaba la bata. Ella temblaba en sus
brazos.

A no ser que la señora Tellado quiera hacernos creer
que Adolfo desnuda a Atalí para ayudarla a vestir más
rápido, ese «le quitaba la bata» no es más que un claro
preludio carnal. Hasta aquí *El destino viaja en tren* podía ser escrita por Mary Wilson.

La escena está narrada hasta desaparecer en un mur-
mullo de agua en los cristales. Pero en *La historia de
una mujer* las sensaciones de *El destino* se hacen olfa-
tivas:

—Toma—dijo Tuker tirando unas prendas de ropa
sobre el diván.

—¿Qué es eso?

—Te lo he traído y nunca te lo dí por temor a tu
desprecio.

Mag sonrió aturdida. Revolvió en las ropas. Eran
de una calidad finísima, olían a Tuker. Todo en aquella casa olía a Tuker, a aquel hombre que la miraba…

—Póntelo—invitó quedo…—Cuando vi esas prendas te imaginé vestida con ellas, te delineé en la imaginación y quiero saber si fui demasiado fantasioso.

Mag huía ruborizada de aquella mirada escandalosamente brillante. Tomó la ropa en sus brazos y, como si escapara de los ojos de Tuker, se cerró en el baño. Cuando salió, Tuker avanzó despacio hacia ella.

La miraba con admiración, con ternura.

Ella susurró:

—No me mires de ese modo, amor mío.

Ni siquiera el blanco telón púdico del final esconde el momento fetichista y el parecido con una escena similar en *L'Histoire d'O* no es coincidencia sino experiencia concentrada. Es decir, técnica erótica:

Después las dos figuras parecieron una sola. El auto permaneció detenido en mitad de la carretera muchos minutos.

FIN

Antes de esta breve palabra alcahueta:

Su entrega absoluta, apasionada e inefable, le demostró que su felicidad estaba allí, entre aquellos brazos que parecían exquisitos dogales de carne mora y palpitante...

Los puntos suspensivos pertenecen a la autora (quienquiera que ésta sea), que conoce no sólo los signos gramaticales, sino las convenciones de la retórica pornográfica. Para ella, el sadismo suave—«brazos que parecían *exquisitos dogales*»—es el aderezo, ésa es la palabra, picante.

43

Las escenas anteriores son de *La mujer fea*. Esta que sigue es de *Me dejaste injustamente*:

La mano de Brock cayó pesadamente sobre el hombro femenino. Uno frente a otro, parecían dos estatuas palpitantes. El asió su mano. Se la apretó fieramente.

—Me... haces daño.

—Quisiera...

—Me destrozas la mano.

Pero no la soltó. Tiró de aquella mano y el cuerpo femenino quedó incrustado en el suyo. Palpitaron los dos.

Hacia el final Brock se hace algo más tierno:

—Oh, niña—y con suavidad, al tiempo de hundir la mano entre el encaje y su cuerpo, añadió: —Tú antes que ellos.

Paola contuvo la respiración. Aquella mano rodaba por su cuerpo en una caricia lenta y suave. Entrecerró los ojos.

—Deja.

—¿No te gusta?

—Sí—suspiró—. Bien lo sabes.

Los años—o mejores artesanos— han hecho que del taller de Corín Tellado, novelista rosa al por mayor, surjan productos cada vez más atrevidos y, a la vez, de factura inocente.

Acompañamos una lista de nuestras existencias:

Eres mi esposa, Es mi marido, Me casé con él, Me casé con ella, Mi boda contigo, Se busca esposa, La boda de Ivonne, El amor llegó más tarde, No te ena-

mores, muchacha, Mi esposo me abandona, Luz roja para el amor, Adorable esclavitud, Lo inesperado, El profesor de felicidad, Te quiero de esta manera, Andrés y ella, Has de ser tú, El padrino de mi hermano, Él cambió mi vida, La doncella de mamá, Mi hija Nancy, El matrimonio de Miryam, Las noches de Audrey, Una hora contigo, Aquel descubrimiento, Mis pretendientes, Los jueves de Leila, Deseo un millonario, Ya es tarde para amar, Caprichos de millonaria, Raquel no esperes, La casa de los solteros, Ella y los tres, Ana y el chófer, El amigo de mi marido, Eso no se olvida, La indecisión de Leila, Ella y su jefe, Lo encontré así.

En este catálogo, que podría continuar interminable (obsérvese el parecido que existe entre la novela rosa barata y la novelita galante de igual precio: aunque no hay la franqueza del inolvidable relajo cubano que consiguió obras maestras como *La pepita de Pepita, Siete tiros en el siete* o *Con el machete en la mano,* sí aparecen sonoridades y connotaciones familiares, fáciles de descubrir), hay varias constantes. La víctima que termina por amar a su verdugo. El incesto. El fetichismo. El masoquismo como prueba de amor. El sadismo que engendra frigidez que engendra amor que engendra celos que engendra sadismo.

Pero estas invariables eróticas están neutralizadas por los recursos eufemísticos. Las violaciones ocurren siempre dentro del matrimonio. Los héroes incestuosos son sólo hermanos de crianza o falsos hermanos, primos, amigos de la infancia, o bien la heroína es pupila del protagonista, tutor que se convierte feliz y finalmente en su marido. Hay, sin embargo, una gran constante de la novela erótica que Corín Tellado mantiene pura: el travestismo. Ocurre tanto que es casi su gran recurso narrativo, y decir los títulos que anuncian este ardid sería hacer otra lista. Pero hay una novela en que el *travesti* alcanza su apoteosis. Se llama *Deliciosa locura* y desde la portada, primorosamente ilustrada, se anuncian las intenciones.

Debajo del rojo nombre de la autora y del título en tipos dibujados, aparece un gallardo marinero que debe ser alto, moreno y buen mozo aunque no veamos más que su busto—el ilustrador tomó la cabeza de Rock Hudson por modelo. A su lado se ve una muchacha ataviada a la marinera. Viste un pullóver rojo y de la gorra se escapa un mechón de rubios cabellos. Aparentemente trajina sobre un yate cuya obra muerta se interpone entre ella y el marino, a quien una segunda mirada muestra vistiendo cuello y corbata y blazer azul: es, por supuesto, un capitán. La muchacha es un grumete y también la heroína. En la novela ella—llamada Koti Santistejo, nombre que por alguna razón suena, como otros tantos, característicamente exótico y de «buena sociedad» a los oídos de la autora—, que es «exótica, millonaria, caprichosa y antojadiza hasta el extremo», quiere ser marinero. No viajar, tener un yate, sino ser exactamente un marino, ya que no puede ser una marino. Koti decide ingresar en la Escuela Náutica de Cádiz. «Dejaré de ser mujer—planea—a partir del momento que salga de casa, vestida con un equipo netamente masculino». Esta ilusión travestista—el sexo depende del vestuario, como ocurre en todas las fantasías homosexuales—típicamente neurótica no le impide llevar a cabo el proyecto: «Días después, Guy Bermude, enfundado en un traje elegantísimo y cubierta su rojiza cabeza con un flexible de última moda, sube al vagón de primera con aire triunfal y decidido en toda su distinguidísima persona».

Pronto tendrá que cumplir con las obligaciones propias de su nuevo sexo, aunque éste y aquéllas sean igualmente falsos. Sube a un tren y «nuestro distinguido dandy traba conversación con dos monísimas muchachas sevillanas, las cuales encuentran que Guy encarna el ideal masculino». (Quiero repetir esta frase más reveladora de lo que nunca sospechó Corín Tellado: «dos monísimas muchachas ... encuentran que *Guy encarna el ideal masculino*».) Guy es Guy Bermude, es decir: Koti Santistejo con otro nombre. Si las inocentes sevillanas pueden padecer una leve confusión de apreciaciones (o de sentimientos), no hay duda de que la millonaria Koti sabe lo que hace porque sabe quién es ella: «¡Había que ver a Guy decir galanterías!» Pero las dos andaluzas no se molestan por estas galanterías visualizadas y convertidas en «Mary y Tere de Carnera, primas hermanas», deciden mejor aprovechar la intimidad de la prosa y «sentarse al lado de Guy, dejando al joven galanteador en medio de ellas, por lo cual la respiración del dandy era harto trabajosa». (Cualquier semejanza con la escena en que Jack Lemmon organiza un party en la estrecha litera de Marilyn Monroe, en *Some like it hot,* film bellamente pornografiado, ¿es accidental?)

Afortunadamente aquí termina el capítulo y al comenzar el siguiente ya Guy Bermude es alumno aventajado, a punto de acabar su carrera naval. Aunque en la privacidad de su pensión el cadete sufre un inevitable síndrome esquizoide: «Era dichoso», dice Corín, «o dichosa, mejor dicho». Momentos más tarde Koti Santistejo «pensó que pese a todas las incomodidades *él* era feliz». Y cuando la sirvienta viene a advertirle que la cena está servida, responde: «—Ahora mismo voy, guapa—y le guiña simpáticamente un ojo, dándole una palmadita en la sonrosada», no sean mal pensados, «mejilla». Caricia que hace sufrir a la muchacha (a la otra, a la criada), sin ser sevillana, un sentimiento culpable, católicamente considerado. Al reír «la muchachita, rubosa» admite que «*le gusta a rabiar el distinguido estudiante, tan espléndido*». Pero la escena no termina en amor mutuo, sino en otro sentimiento erótico aunque solitario. Guy (o Koti) se mira al espejo y admira sus cabellos masculinamente cortados, su cutis tostado por la vida al aire libre, sus ojos, su boca, sus dientes, y la autora no puede menos que compartir el sentimiento narcisista: «¡Qué feliz, pero qué feliz se siente!» Esta felicidad, como se ve, no es por los estudios todavía no terminados, ni por el amor de la sirvienta, ni por la perspectiva de la cena, sino porque Koti (o Guy) se siente hombre.

Pero momentos más tarde casi lamenta ser tan masculino. Una preciosa muchacha viene a interrumpir su soliloquio callado con el mar, y Guy-Koti se «revuelve inquieto. El giro que toma esta conversación le molesta. ¿Por qué serán tan tontas las mujeres? ... Las faldas lo persiguen de continuo». Aunque no deja de juzgar a la muchacha como objeto estético. «Florita era linda. ¡Guy, pese a la antipatía que sentía por el "sexo" (las comillas de la autora), es justo al juzgar imparcialmente su belleza en conjunto». Es que Florita no le disgusta tanto por su sexo como por su seso. Tanto que «haria cualquier disparate, echarse novia si era preciso, antes de ser el "flirt" de aquella simple». (Es para preguntarse qué habría ocurrido si la rémora de Koti, en lugar de ser la tan poco dotada intelectualmente Florita, hubiera sido, por ejemplo, Simone de Beauvoir.)

Pero de estos avatares lo (o la) salva un encuentro que será decisivo. En un bar del puerto Koti-Guy conoce a su «verdadero hombre», un capitán de barco llamado Julio Jarde. La rudeza con que trata a Guy la siente en su alma femenina y jura que navegará un día en su barco. No sin antes haberlo alcanzado y en plena calle, en la zona marítima, decirle esta frase que se hace asombrosa al salir de sus labios de cadete: «Me gusta usted—dijo jadeante, amoldando su paso al del otro». El capitán hace lo que cualquier otro heterosexual haría: «Se detuvo en seco», y exclamó: «—¿Eh?»

En el próximo capítulo—gracias a Dios y a la autora—Guy consigue ser enrolado en el barco de Jarde, sin que éste sepa que se trata de la misma persona que lo piropeó en el muelle. Pero, oscuramente, no puede menos que recordar el incidente. «Pensó otra vez en el chico impulsivo. Era simpática la "criatura", pese a sus modales elegantes y afeminados ... Le crispaban los nervios esta clase de hombres y aquel "crío" ciertamente que lo era». Es conveniente, para el doble propósito de la trama novelística y de nuestra tesis, recordar esta repulsión, prejuicio agresivamente antihomoxesual que tanto ha nutrido las filas de la policía del sexo, tantas consultas ha conseguido a los psiquíatras y tantos consortes ha regalado a más de un pederasta solitario. (No es mala fe recordar que la autora hace sonreír escéptico al capitán cuando ve saltar a tierra a dos oficiales que corren presurosos hacia sus novias de puerto. ¿Por qué? «No le atraían las mujeres, considerábalas todas cortadas por el mismo patrón, o sea, vacías, insubstanciales, coquetas».)

Así las cosas, no es de extrañar que el capitán se niegue a recibir al dueño de «aquella voz pastosa, poco varonil», cuando aparece a bordo. Tiene el cadete que vencer una ordalía alcohólica para que Jarde lo acepte. Curiosamente, el capitán lo acoge con una frase que el lector jamás sabe si es una apreciación de la marina mercante (pobre Conrad), una confusión (inexplicable) del capitán o un slip (explicable) de la prosa. Cuando termina el juicio por tragos, el capitán ríe complacido. «Guy era tan varonil como otro cualquiera de sus oficiales».

Este «oficial tan varonil como cualquier otro» comienza a enamorarse del capitán, lo que no es raro si se piensa que debajo del disfraz de marino hay una mujer. Lo que sí resulta extraño es que el curtido capitán Jarde comience a sentirse atraído por el cadete. «¿Qué era lo que tenía aquel chiquillo que subyugaba?», se preguntan el capitán y la autora, y ni por un momento se le ocurre a ninguno de los dos pensar que no era el chiquillo quien tenía algo raro, sino el capitán, que «comprendía tan sólo que lo quería con delirio».

Pero no solamente es el capitán quien cae presa del encanto de Guy. «Todos le queremos como algo nuestro», confiesa el segundo de a bordo. Discreto como todo subordinado, planea su conquista por poder. «En el próximo viaje, si vamos a Gijón, voy a presentarle a mi hermana a ver si lo conquista». Naturalmente, el capitán se molesta por este complot romántico que parece un conato de motín a bordo: «—¡Déjate de tonterías! El chico no piensa en mujeres. Por otra parte, es un chiquillo». Momento que aprovecha el segundo para contradecirse pero al mismo tiempo para dar con la clave del interés propio y ajeno, al replicar: «Y algo afeminado». Matando tres pájaros oportunos con su intrusión, el perspicaz oficial advierte un escollo posible en esta navegación erótica: «No vaya a ser que riñamos por el *niño pera*», dice. (Es la ausencia de este espíritu de geometría naval lo que pierde a los personajes de Jean Genet, no menos apasionados por la idea de la posesión de un bello recién llegado.)

No hay riña en el puente de mando, pero una página después ocurre uno de los grandes momentos eróticos del libro, y casi me atrevo a decir de toda la literatura española actual. Guy consigue prestarse uno de los autos de Koti y viene, imprudente, a pasear frente a los muelles de Barcelona. Unos enmascarados lo secuestran en broma pero con violencia y el cadete protesta con la virilidad con que protestaría cualquier otro marino: «—¡Bruto! ¡Suélteme usted! ¡Me tortura!» Pero al darse cuenta de que quien lo secuestra con la complicidad de sus subalternos y la velocidad es el capitán, deja, naturalmente, de protestar. Lo hace, sin embargo, con una respuesta totalmente inesperada, para todos.

No lo dudó un segundo. Anudó los brazos en torno al cuello de Julio Jarde y dijo con voz de falsete, que los otros no comprendieron:
—Ya me extrañaba que entre estos rufianes no viniera una mujer. Tú lo eres y como presiento que serás la novia del jefe de la banda, voy a cobrarme lo que me deben tus secuaces.
Antes de que los otros pudieran separarlos, Guy se encontraba besando con rabia los labios de *la mujer*. [El subrayado es de ella, de Corín Tellado.]

51

Sintió que el «auto» se detenía en seco. *Y un ala-rido de entusiasmo, extrañeza y locura se extendió por los ámbitos.* [El subrayado es de G.C.I.] Unos brazos de atleta la sacudieron furiosamente. Se quitó la venda y rió triunfante, burlonamente.

—¡Bellaco!—rugió el capitán. —¿Te has fijado en la bella mujer que has besado?

—¡Ay, mi capitán!—chilló para ocultar la satisfacción. —Ya me parecía que los labios de la «bella» eran demasiados ásperos.

El capitán no puede tener otra reacción (recuérdese que está entre marinos) que amonestar duramente al subordinado equívoco: «—Otra vez procura no equivocar el sexo cuando te dispongas a besar—añadió, aún pálido». Pero todo está dicho de dientes para afuera porque su corazón está en otras partes. O mejor dicho, aquí mismo. Lo sabemos al comenzar el siguiente capítulo a las cuatro de la mañana, cuando el capitán tiene que subir a cubierta. ¿El deber? No, insomnio. «No podía dormir. Lo que había sucedido aquella tarde le tenía nervioso, desasosegado, inquieto... No llegaba a comprender por qué el beso de Guy lo puso de esta forma».

El próximo paso narrativo debía ser la descripción del frenesí de una pasión homosexual, de una parte al menos, ya que Koti ha sabido rechazar a las sevillanas y a las Floritas asediantes. Pero la autora, con un escamoteo más previsible, hace que el atormentado capitán descubra el secreto de Guy o de Koti a tiempo.

El resto es anticlímax, si exceptuamos dos elementos esenciales: los sentimientos del capitán y un avance, al final, de lo que será su conducta sexual más allá del matrimonio ineludible y del libro. La primera contradicción ocurre al saber el capitán que Guy es Koti. «Julio no lo dudó ni un segundo y guardó la fotografía en el bolsillo. Miró de nuevo a Guy y salió riendo ilusionado... Ya lo sabía todo o casi todo y comprendió muchas cosas, muchas; tantas, que sintió una *desilusión insospechada hasta entonces* penetrarle en el alma». El porqué de tal desilusión lo conoceremos al final, cuando ocurre la otra excepción. Después de la boda hay una leve discusión sobre las conveniencias y las inconveniencias del creyón de labios que termina en esta escena romántica:

Cuando Julio la acompañó al hotel, Koti comenzó, cogiéndose amorosa de su brazo:

—¡Qué apuro, chico! Buri es encantadora, pero esta noche...

—¡Qué importa! Buri ha tenido muchísima razón. Esa pintura es un estorbo.

—Pero a ti te gusta.

—Estando en tu boca, me gustaría hasta el veneno.

—¡Adulador!

—¡Mi «rapazuelo»!

Ya de aquí en adelante Koti será siempre el *rapazuelo* del capitán Julio Jarde, su marido y curtido marino: cuando deja de serlo es para llamarse, por supuesto, Guy.

Quizá la inocencia salve a Corín Tellado de la obscenidad, pero no del erotismo. Hay una razón práctica de la literatura que hace que una escena romántica se convierta en sicalíptica (y algo más) si los personajes son sustituidos por personas del mismo sexo. Imaginemos la escena del balcón *and after* protagonizada no por Romeo y Julieta sino por Julieta y el ama, o por Romeo y Mercucio. Si alguien piensa que Shakespeare es demasiado *down to earth,* propongamos entonces una cualquiera de estas sustituciones: Margarita Gautier convertida en hombre, Heathcliff transformado en mujer, un John Eyre.

Ésta es una ley general de retórica de la que no se escapa ni una escritora tan delicada como Radclyffe Hall, cuyo *Pozo de soledad* se considera un libro pornográfico y no la última novela romántica. Para colmo, Corín Tellado comete la explotación deliberada de semejante situación una y otra vez. El tema del cambio de sexo es uno de sus nudos favoritos y aunque lo corte con la espada de las soluciones pudorosas, siempre lo ata con un manojo de equívocos. Esta contumacia se llama pornografía.

Entonces, ¿cómo permitir que jovencitas de apenas trece años (los libros de la Tellado, previa y convenientemente bowdlerizados, llevan este sello: «Calificación de nuestro asesor moral», un cuadro con las siluetas de un hombre, una mujer y una niña, esta última cruzada por una equis *ad hoc* en esta edición, indicando que es un volumen «Para personas formadas»), casi unas niñas, lean esta literatura? La respuesta es que el escritor de esta nota no está interesado en negar nada, sino en comprenderlo todo, o casi todo, para ser más modestos. Prohíben las leyes y sus agentes. Es decir, policías, soplones, comisarios. Condenan jueces y jurados o un tribunal del pueblo. Un escritor lo más que puede hacer es tratar de entender una relación de causa y efecto, y hacerla ver a quienes lo lean y estén interesados en sa-

54

ber por qué. Mi hija de doce años puede leer a Corín Tellado, que es una inocente pecadora—o, si se quiere, una industriosa pecadora—, porque una prohibición no la haría mejor (a mi hija Anita, no a la Tellado). Creo, por el contrario, que leer a Corín Tellado la ha hecho mucho mejor.

Además, no creo que la pornografía sea un crimen. Muchas veces he intentado hacer pornografía y me lo ha impedido mi falta de talento. Cualquiera escribe, pero un pornógrafo es un artista superior. Sade, Pauline Réage y Corín Tellado lo son. Joyce, Hemingway, Sartre no pudieron serlo: de ahí las respectivas admiraciones por Rabelais o Chaucer, Anderson y Genet. También viene de ahí mi admiración por el arte de Corín Tellado. La pornografía es un arte inocente, nada consciente, y Corín Tellado, ya en las clasificaciones, es una *naïve,* una primitiva por sofisticar. Sus lectores o tienen esa inocencia o fracasan en su lectura. Quizá estas notas sean un testimonio de un fracaso.[2]

---

2. Deliberadamente he dejado fuera el aspecto puramente camp —*high* camp debía decir—de estas novelas. También olvidé afiliarlas a cualquier movimiento pop por horror a las tautologías: como las tiras cómicas, como la canción de moda, como los *fumetti,* Corín Tellado está en los orígenes. Decir que ella es pop equivale a subrayar el cristianismo de Jesús o a decir que Marx fue el primer marxista.

Quiero aclarar, asimismo, que las páginas precedentes no tienen, ¡por favor!, la intención de destruir, sino de investigar los medios de producción de una industria.

Finalmente quiero hacer mía esta frase lúcida de un pornógrafo *in extremis,* D. H. Lawrence: «Lo que es pornografía para un hombre es la risa del genio para otro».

ADDENDA

Entrevista con una Lectora (Típica) de Corín Tellado (con Interrupciones).

Personas: Anita, la lectora; el entrevistador, G.C.I., y a veces, Carolita, una intrusa.

ANITA (*con un librito en la mano*): Ésta se llama *El amor llegó más tarde*. La mujer bebida con champaña no sabe lo que le ocurrió, perdió el conocimiento de las cosas y de pronto va a tener un hijo sin saber cómo, pues no tuvo intimidad (*sic*) con ningún hombre...

CAROLITA: ¿De dónde proviene el hijo?

ANITA: ¡Caramba, niña, no hagas preguntas tan directas!

G.C.I: ¿Y ésta?

ANITA (*tomando el libro*): Ah, ésta es *El destino manda*, de una viuda que el matrimonio no se consumó...

CAROLITA: ¿Qué cosa es un matrimonio que no se consumó?

ANITA: ¡Niña! ¡Está bueno ya! (*Componiéndose.*) El matrimonio no se consumó y esta muchacha luego se casa con el hermano del marido de ella y su amiga estaba enamorada de su esposo y su esposo la plantó para casarse con ella.

G.C.I. (*aparte*): Es posible que el lector no entienda el argumento. Pero se trata de *comprender,* no de *entender*. No muy diferente cosa son las comedias de enredos, el vodevil y aun el Shakespeare de *A comedy of errors*.

ANITA: Esta muchacha, llamada Sibila Conti, vivía con una tía modista y a ella no le gustaba llevar los vestidos para que otra se los pusiera y decidió huir de la casa. Entonces se fue para una pensión para señoritas y luego se fue de señorita de compañía con una señora rica. Entonces un día la señora rica va a un balneario y allí ella conoce a un hombre...

G.C.I.: ¿Quién es ella?

ANITA: Sibila Conti. Ella ya estaba prometida a un hombre, un señor que se llamaba Roberto Mendizábal. Entonces esta muchacha conoce a un hombre que se llamaba Ray Morgan...

CAROLITA: Es inglés.

ANITA: ... en el balneario. Entonces ese hombre ella lo conoce y él la besa en el balneario sin más explicaciones ni nada. *Siempre se besan así, forzados o algo así...*

CAROLITA: ¡Qué frescura!

ANITA: Entonces ella se enamora de ese hombre, Sibila Conti, y va y se casa con él que ya era su novio porque no sabía siquiera si este otro hombre la quería o no y, además, ya estaba comprometida desde antes.

CAROLITA (*no muy interesada en esta literatura... todavía*): Empieza por una carta. (*Hojeando el librito.*) Empieza siempre por una carta.

ANITA: Cuando empieza por una carta terminan por una carta. ¡DAME! (*Le arrebata el libro.*) Esta muchacha se casa con ese hombre y entonces el marido lee el diario...

G.C.I.: ¿El periódico?

ANITA: ¡No! El diario de ella, que ella escribió...

CAROLITA: *Siempre* escriben un diario.

ANITA: ¡No te metas! El marido se da cuenta de que el diario es un grito de amor (*sic*) y se da cuenta de que el diario ella lo escribió sumida (*sic*) en su propia inconsciencia (*sic*) y no se da cuenta de que está enamorada, pero su marido sí. Entonces este señor, el marido de ella, no la hace su mujer...

CAROLITA: ¿Y cómo tú lo sabes?

ANITA: ¡Cállate ya! ¡Vete de aquí! Y ella se va para el otro cuarto. Entonces el marido de esta muchacha muere dos años después, viviendo como han estado del vino, con úlceras en el estómago, y muere clamando por un moralista que ella no comprende porque ella cree que es fruto (*sic*) de su imaginación (*sic*), pero luego ella se entera de que es un ser real (*sic*). Cada vez que ella le pregunta, él no le contesta. Entonces, cuando muere el marido, esta muchacha se va a trabajar de modelo. Entonces es cuando ella ve el primer libro de ese señor que es un escritor y que fue el que la besó allí y que era el hermano de su esposo pero que ella lo ignoraba, ella desconocía su nombre hasta que vio la fotografía reproducida (*sic*) en uno de sus libros. A esta muchacha la despiden de modelo porque no sirve para modelo y la despiden. Entonces da la casualidad que ella va a parar de secretaria al lado del *dramaturgo* (*sic*) Ray Morgan...

CAROLITA: El inglés.

ANITA: Está bueno, te va a pesar. Entonces empiezan a traer cartas de una amiga que es la que nombramos antes (?) llamada Begoña. Las cartas son de un desconocido pero están firmadas por su amiga y esta amiga ya murió.

G.C.I.: Perdóname, pero son tremendamente complicadas.

CAROLITA: ¡Oh, sí!

ANITA (*mirando a* CAROLITA *sin decirle nada*): Cantidad. Pero lo bueno que son todas iguales y, cuando uno ha leído una, con solamente leer el título y la primera página ya sabe lo que va a pasar.

CAROLITA: La primera página y la última página, que siempre te tengo que buscar quiénes son los principales.

G.C.I.: ¿Por qué las lees entonces?

ANITA: Porque me divierten. ¿No son todos esos libros, las novelas policíacas, las de Nero Wolfe y de Dashiell Hammett, iguales, que en todas pasa lo mismo y tú las lees?

G.C.I.: Tienes razón.

ANITA: Bueno, entonces esta mujer comienza a tener miedo...

CAROLITA: Como yo.

ANITA: Que se vaya, papi, que se vaya o no sigo contando.

G.C.I.: Carolita... (CAROLITA, *ante la mirada doble, hace mutis.*)

ANITA (*con algún triunfo en su voz*): Ella tiene miedo porque no sabe de quién provienen (*sic*) las cartas y que según el novio son de una amiga que se llama Silvia y en compañía de quien vive en un piso. El novio, que es el novio de su amiga, no de ella, porque ella no tiene novio sino una compañera de cuarto, Silvia esta. Ahí ya no pasa más nada y esta muchacha va a un baile y gana la corona con ese hombre, que se llama (*mirando a todas partes*) Ray Morgan, y se casan. Ya ha sido secretaria de él por dos meses y se casan. Se casan por la noche con un juez, después del baile este, porque esta muchacha, Sibila, ha comprendido que sin él no puede vivir y él le ha contado todo lo que sabemos anteriormente (*sic*).

G.C.I.: ¿Qué decían las cartas?

ANITA: ¿Quieres que te las lea?

G.C.I.: ¡Oh no, no!

ANITA: Bueno. Estas cartas estaban escritas por Ray Morgan y las firmaba con el nombre de una antigua novia, Begoña, que murió, ya que ella, cuando era amiga de Sibila, tenía más años de los que representaba y en realidad estaba en la antesala de la muerte, como dice Corín Tellado, y este Ray Morgan era el novio de Begoña, que lo dejó plantado para casarse con Roberto Mendizábal, que era hermano por parte de padre de Ray Morgan, y Roberto la dejó a ella plantada para casarse con Sibila, que fue la que enviudó al principio. Pero es un lío, ¡un lío!, que hay que leer el libro para no confundirse y si sigo contando los lectores se van a confundir más todavía.

G.C.I.: Muchas gracias. (*Aparte, al lector.*) Todas las marcas y señales, esos *sic* pedantes, no son para envanecerse el padre del vocabulario de la hija, sino para mostrar al lector cómo la prosa de Corín Tellado *has crept in* el pensamiento de su lectora.

CAROLITA (*fuera*): ¿Puedo regresar ya?

60

OTRO INOCENTE PORNÓGRAFO

Ya dije (o creo que dije) en otra parte para qué me servía *El satiricón* a los doce años—mis doce años, no los del *Satiricón*. Estoy seguro de que Petronio habría aprobado ese uso: es un trabajo de amor ganado. Pero no habrían tenido igual reacción algunos contemporáneos al saberse leídos como pornógrafos. Me refiero a Kraft-Ebbing, a Wilhelm Stekel, a Freud, pero debía decir mejor a sus libros: cuando hablo de contemporáneos hablo de libros que habitan, al mismo tiempo, esa historia universal de un solo hombre, esa geografía del tiempo que es una biblioteca, cuyos ríos navegaba hasta lagos emponzoñados o descendía por ellos a océanos de evanescente hondura entre olas sensuales, atravesaba desiertos de arena erótica o me internaba en ferales selvas instintivas. Conozco, desde niño, mis textos de sexología, leídos minuciosamente, expurgados para separar el oro del sexo de la ganga del logos. Puedo recordar mejor trozos de una *Enciclopedia del conocimiento sexual* (detrás de ella, detrás del pseudónimo de «Costler», su coautor junto con Willys, se esconde doblemente un escritor convertido por el hambre y el exilio en apresurado sexógrafo, Arthur Koestler) que *Memorias de una princesa rusa, Dos noches de placer* o *Las aventuras de Sonia,* los manuales de erotismo entonces en boga. Puedo relatar («con pelos y señales», como se dice) ese cuento stekeliano que irónicamente es uno de los más poderosos aliados de la continencia, o al menos de cierto orden imponible al desorden del sentido. Es aquél que cuenta el «caso»

61

de un desaforado masturbador que vagaba por los placeres (oportuna forma, ¿eh?, de hablar de los solares yermos) y se auxiliaba con latas vacías, botellas, envases, etc., y que un día desdichado seleccionó un pomo particularmente estrecho, donde, para colmo, dormía la siesta una rata. (*Stories my mother never told me* es el título de una antología firmada por Alfred Hitchcock.)

Puedo continuar los ejemplos, pero esto sería hacer montones, redundar. Sin embargo, no estaría completa la relación si no mencionara una ausencia: nunca lamentaré bastante no haberme encontrado cuando niño esa obra maestra titulada, con modestia y distanciamiento clínicos, *Extravíos secretos u Onanismo en los dos sexos,* del doctor Antonio San de Velilla, director de la Biblioteca de Educación Sexual que publicaba en Barcelona Carlos Ameller, obra leída ya de adulto, *hélas!* ¡Qué no habría dado ese niño que se llamaba como yo por esta torre de Nesle patológica! Sé lo que habría hecho: leer el libro con apasionado método, ejercicio que, como los trabajos de amor perdidos, se corta exactamente en el clímax. No hay mejor metáfora para el *coitus interruptus* que esta narración:

EL EXTRAÑO CASO
DE LA INDÍGENA INDIFERENTE

Durante las largas escalas que hacíamos en Calcutta, acostumbraba pasar el día y gran parte de la noche en la residencia de verano que mi buen amigo el capitán Witkins poseía a unos quince kilómetros de la ciudad, en las inmediaciones de la costa.

Entre la servidumbre indígena del militar británico, jefe de un escuadrón de cipayos, me llamó la atención una muchacha tamil de unos veinticinco años de edad, alta, robusta y no mal formada, pese a su continente ligeramente varonil.

Era activa en el trabajo y sus buenas cualidades morales constituían el motivo del sincero cariño que le profesaba la señora Witkins, quien no cesaba de elogiar las excelentes condiciones de la fiel Bathuga.

La indígena disfrutaba de una confianza ilimitada en la mansión de mis amigos, y era algo así como el ama de llaves y la encargada del resto de la servidumbre, compuesta por dos asistentes soldados del escuadrón, una vieja lavandera china, que por cierto me inspiró siempre una antipatía inexplicable.

Cierto día que tomábamos el café en la veranda del *bungalow*, vimos llegar a Bathuga completamente desnuda y tratando de ocultarse a nuestras miradas, mejor dicho, a las mías, puesto que tanto Witkins como su esposa y el resto de los habitantes de la casa ya estaban acostumbrados a ver la muchacha de tal guisa, sobre todo a la hora de sus baños, generalmente a media tarde.

El capitán quiso tranquilizarla, diciéndole que yo era como de la familia, a lo que ella replicó que jamás habría osado aparecerse de tal guisa, mas aconteció que mientras tomaba su baño, el mar le había arrebatado las vestiduras.

—Es hermosa, capitán—dije a mi amigo.

—Y salvaje. Un día, si no llego a intervenir a tiempo, mata a uno de mis asistentes, y todo porque se permitió decirle que estaba enamorado de ella, advirtiéndole que el muchacho es de lo mejorcito que he tenido a mis órdenes: trabajador, educado y hasta dueño de unas huertas situadas muy cerca del río, que le producían muy saneados ingresos. Y ya había advertido la inclinación del soldado por Bathuga, a la que siempre hacía objeto de regalos y otras delicadas atenciones. A mi esposa le agradó aquello, pues de haberse casado es seguro que hubiera podido contar con los dos servidores más fieles.

»Un día—prosiguió Witkins—mi mujer la reprendió cariñosamente por lo que había hecho con el enamorado galán, diciéndole que desperdiciaba la mejor ocasión de matrimoniar que acaso se le presentase en su vida. Hasta tal extremo llegó mi esposa en sus recomendaciones, que le habló de las delicias del matrimonio, del placer de los hijos, de las caricias de un marido amante... ¿Y sabe usted cuál fue la contestación de Bathuga? Pues, sencillamente, que su deleite mayor consistía en servir a sus amos y sobre todo en bañarse en la pequeña ensenada donde hemos establecido la playa familiar. Y no hubo medio de hacerla cambiar de opinión.

—Es extraño—repliqué—, porque, a sus años y en este clima, tal vez experimente ciertas inquietudes muy naturales.

—No lo sé, doctor. Pero lo que sí puedo asegurarle de una manera cierta es que, en los seis años que la muchacha lleva a nuestro servicio, no ha desdeñado ocasión de mostrar su repugnancia o al menos una franca antipatía por los hombres de su raza y creo que por los de todas.

—¿Se trata de una invertida?

—Menos aún. No pensará usted que la vieja china...—replicó mi amigo.

Tan maldita como las sexualidades indias debe ser la culpable costumbre de comprar libros de viejo: mi ejemplar salta de este último fragmento, casi al final de la página cincuenta y cuatro, hasta mediados de la página cincuenta y nueve, donde dice:

> En las prácticas del tribadismo a que son tan aficionadas las damas de la celeste república, la imitación fálica desempeña un papel muy importante.

Pero debe de haber un dios de los pornógrafos. Juan Goytisolo conocía el cuento y recordaba el final. La indígena, efectivamente, no repudiaba sólo a su raza, sino a todo el orbe masculino, y no es una lesbiana, por lo que debemos pedir tantas disculpas a la vieja china, que es una pista deliberadamente falsa, como a la señora de Witkins, también inocente. El culpable no es el mayordomo, sino el domo del mar. El narrador consigue un día seguirla hasta la playa cercana y la sorprende en una rada oculta. Allí estaba la razón de su sinrazón. La bella salvaje, con tecnología que envidiaría un ingeniero civil, aprovechaba las mareas, el flujo de la resaca y una caña-bambú ingeniosa y calculadamente dirigida para producirse los más espasmódicos orgasmos solitarios auxiliada por las aguas territoriales. ¿Quién necesita a los hombres cuando dispone de la naturaleza? Arquímedes, con su punto de apoyo ideal, habría entendido a la muchacha tamil, y para superarla habrá que crear el coito cósmico.

El autor del trozo escogido por el doctor San de Velilla no es Somerset Maugham. Ni Earl der Biggers, inolvidable inventor de Charlie Chan. Ni tampoco Kipling después de leer a D. H. Lawrence. Ni siquiera S. J. Perelman, el Robinson del pobre. Era otro sexógrafo, Martin de Lucenan, que lo recogió en su libro titulado, inevitablemente, *La sexualidad maldita.*

Pero si ni Gamiani o Mlle. O superaron nunca a Bathuga, el doctor San de Velilla da una lección a Lucenan y a cualquier otro competidor en ese arte dialéctico de la profilaxis sexual. Un ejemplo temprano—y decisivo— en su libro es esta escalada médico-descriptiva que es un verdadero camino de toda carne. Comienza por el comienzo. He aquí el primer párrafo del capítulo primero, intitulado, justamente, «Peligros de la lujuria»:

> El abuso de los placeres sexuales degrada y arruina en poco tiempo el organismo: de todos los excesos, el de los goces venéreos es el que tiene un castigo más pronto y doloroso.

Pero el doctor San de Velilla no se queda en el editorial. Sigue una impresionante enumeración de las calamidades que aguardan como obstáculos merecidos al progreso del libertino.

> He aquí el terrible cuadro de las penas que pasa el hombre lujurioso: debilidad de los órganos genitales, flaccidez incorregible y acentuada del pene, pérdidas seminales involuntarias, atrofia de los testículos, parálisis de la vejiga, etc., etc., etc.

Las agoreras etcéteras pertenecen al doctor, de quien es esta acción moralmente niveladora: lo que es castigo para el hombre es pecado (original) en la mujer:

> Pero entre todas las dolencias que el abuso venéreo puede originar en la mujer, ninguna más tristemente horrible que la *ninfomanía o furor uterino.*

Si no el subrayado, los mismos adjetivos habrían originado una estruendosa carcajada eslava en Catalina la Grande, famosa ninfómana, que, por otra parte, al vivir en la blanca Rusia, vería sus males atenuados por la profusa nieve:

> Los climas cálidos, donde las pasiones fermentan; los manjares suculentos; el abuso de los licores alcohólicos y aromáticos; el exceso de los placeres; los desarreglos de la menstruación; las relaciones peligrosas; los espectáculos; las danzas y las imágenes y lecturas lascivas, son también otras tantas causas que pueden predisponer a la *ninfomanía*. O producirla.

El buen doctor de Velilla, además de aterir o sellar el trópico al vacío para que no fermenten las pasiones, totalizar el vegetarianismo, reimplantar la ley seca, controlar las amistades mediante una ubicua policía del sexo y suprimir de paso la vida moderna para evitar la *ninfomanía* (quiero conservar el tenue misterio de sus signos: subrayo donde el doctor lo hace), tendría que comenzar por escoger la nada, y al no escribir *Extravíos secretos* eliminaría al menos uno de los ejemplares de la biblioteca lasciva.

Pero el buen doctor parece más preocupado con la enumeración exhaustiva de los efectos que interesado en suprimir las causas, el síndrome del sexógrafo. ¿O se trata del conocido caso del doctor San y el señor Velilla?

> El espíritu vese asediado por las más obscenas ideas; piérdese el apetito; huyen el sueño y el reposo; el cuerpo se enardece; los órganos genitales hácense si-

tio de un escozor, de un prurito, de una picazón insoportable; la lascivia es extrema; los deseos venéreos imperan cual amo absoluto, y sólo contienen a la víctima un resto de pudor y de vergüenza.

Como todo sexógrafo, el doctor San, a la menor provocación, pasa de la generalización más vaga a una galopante particularización:

> A veces la ninfómana lleva su delirio hasta el extremo de arrojarse a los brazos del primer advenedizo; le acosa y le solicita, y si encuentra una negativa o alguna resistencia, estalla en amenazas y vomita injurias.

Tanta pasión inútil no se ve más que en los films interpretados por el inolvidable Bela Lugosi o en las leyendas de vampiros, y solamente lamento no haberme tropezado nunca con una ninfómana en busca del consorte perdido y ser para ella, si no el primero, al menos el último advenedizo. Pero es mejor atenerse a la literatura, que nos hace compartir esa lujuria al convertir la personalización en asunto privado, casi íntimo:

> Entonces entran en acción los órganos genitales; la vulva, en sus desordenados movimientos, se contrae con violencia o se dilata desmedidamente; el clítoris se entumece y todos los folículos de la vagina y de los grandes y pequeños labios segregan abundante líquido mucoso.

Luego de describir a esta espeluznante criatura del espacio interior que lleva nombre venusino, de Velilla regresa a los (in)felices poseedores de semejante pieza de convicción fetichista:

Las infelices, llegadas a este grado de embrutecimiento y de furor, rasgan sus vestiduras, se magullan el pecho, se arrancan los cabellos y, en la impotencia de saciar sus horribles deseos, se masturban en público.

(¿Ante la indiferencia o la ingerencia pública?)

Pero apenas hay tiempo para responder, porque el sexólogo deviene psicólogo en otra vuelta de párrafo:

Ora sueltan inmoderadas carcajadas, como en la embriaguez de la alegría, ora su abundante llanto y sus profundos suspiros parecen atestiguar la más violenta tristeza, concurriendo a veces a aumentar el horror del cuadro los más obscenos dichos y las más indecentes posturas.

Finalmente el médico se confunde con el predicador para que el estilo alcance su última perfección, en una apoteosis barroca que es a la vez un contenido delirio. Y el lector adulto piensa en Quevedo y en Buñuel o en Juan de Patmos, porque la escatología se hace escatología.

En estado tan atroz y, sin embargo, tan digno de piedad, el pulso está agitado; la irritación general se encuentra en su último período, y los órganos genitales, enrojecidos, tumefactos, segregan un líquido acre y purulento; hay insomnio, pérdida del apetito; la orina es rara, espesa; el vientre está duro y constipado; finalmente coronan tan mísera existencia la consumición, el marasmo y la muerte.

Pero el lector temprano que no conoce a Dante y ha olvidado a los hermanos Grimm, el adolescente que tropiece con el tomo tendrá tiempo y prosa para encontrar, capítulos más adelante, no a moribundas que despiden un humo verde apocalíptico de entre volcánicos montes de Venus o que afectan risas sardónicas en los grandes labios, sino otros ejemplares. Ese cazador solitario conocerá a criaturas más sanas, que invocadas quizá con la clínica intención de evitar la masturbación metódica o desenfrenada, son un espléndido aliciente para el onanismo en los dos sexos.

Así, la literatura médica, como la novelita rosa, en el caso de Corín Tellado, completan el ciclo masculino-femenino de inocentes celestinas a un erotismo siempre en flor, que es una de las pocas definiciones en esa edad confusa que es la adolescencia, y entre sexógrafos y polígrafos crecen blancos y verdes y rosados los pornógrafos, benditos, previstos por Cupido porque

Omnia vincit amor.

OJO QUE TOCA

Veranillo indio del ojo

Cada frío noviembre inglés el ojo tiene su *Indian Summer* en la televisión. Es cuando ocurre el concurso de belleza que selecciona (y explota) las formas más o menos perfectas, la mujer ideal entre concursantes de todas partes del mundo, entre 17 y 25 años de edad, entre las medidas horizontales (jamás se hace mención de la estatura, pero se habla constantemente de busto, cintura y cadera) que requieren los expertos—es decir, la convención, usando paradigmas. Twiggy o Mae West, que son dos parangones—bellezas que crean su propio canon—, no podrían nunca ganar. Mientras Raquel Welch sintética, fabricada a la medida, tendría, como se dice, *mucho chance*.

Este año la ganadora ha sido otra belleza plástica, Penelope Plummer, la aliterante australiana. Todo en ella engañaba: sus ojos, su risa, su andar. Las medidas, sin embargo, son genuinas (las tradicionales cifras de 34-24-34, en pulgadas arcaicas), el pelo es rubio melcocha, las facciones sajonas tirando a brujita-me-dejas-enla-parada-que-está-entre-Veronica-Lake-y-Angela-Lansbury-la-antigua. Hasta sus lágrimas de ganadora emotiva parecían de fina parafina. Max Factor y los artesanos del museo de Madame Tussaud no pasarán mucho trabajo para eternizar su vera efigie en cera blanda. En suma, hay que tener un ojo de piedra para conmoverse con ella, Penélope para quien no seré Ulises, la señorita

71

Plummer (rima con paloma), la última Miss World.

Para el ojo entrenado del corresponsal (que ha sido juez en dos concursos de belleza), la selección, como la del año pasado, debió caer fulminante sobre una latinoamericana. Esto que parece gauchovinismo, chachachauvinismo, mexenofobia, es, en realidad, buena puntería, visión 20-20 en un solo ojo. O, si se quiere, querencia. Es que en América Latina se reúnen los cánones de belleza femenina de Europa, Asia y África en lo que un *connaisseur,* Alfred Dunhill, llamaría *a mild blend*—en suave mezcla.

Dictadura del (ojo) ubicuo

La televisión no mira, escudriña, y su único ojo ubicuo desvela todos los misterios, aun los de la esfinge sin. Sentado en mi barrera de sombras veía desfilar tantas piernas como para recordar el verso aquel:

> *Piernas, piernas,*
> *¿pero por qué tantas piernas?*
> DRUMMOND DE ANDRADE

Antes habían pasado las dueñas con sus «trajes nacionales» recortados contra una proyección de una escena (estéreo)típica: Buenos Aires indistinta, un portal columnado de Santo Domingo que podía ser San Juan, La Habana o Quito, un cajón con ventanas de Ghana—¿o era Canadá? Junto a lo intercambiable, lo previsible: la torre Eiffel (¡París!), el foro romano, rascacielos de Manhattan. La primera bella en desfilar—«en riguroso orden alfabético», repetía el animador acá llamado *compère*—fue varias veces la candidata argentina. Mi ojo de andar por calles la habría aturdido silbándole piropos visuales todos llenos de miradas táctiles, pero mi ojo de juez (después de haber dado tres golpes de mallete ocular: «¡Orden! ¡Orden, o mando a despejar la visión!») la habría descalificado a la primera vuelta («¡Silencio! ¡Orden en el nervio óptico!») no por defecto, señores del ojurado, sino por exceso: en concursos de belleza la sensualidad se inscribe en la columna de la izquierda, debajo de DÉFICIT.

A pesar de la televisión en blanco y negro, los trajes de color local abundaban en esa suerte de disfraz cursi con que los modistos de moda han tratado inútilmente de cubrir la figura femenina de ridículo desde los días en que Gloria Swanson se batía contra Mack Sennett. Miss Canadá vestida como si fuera el sargento King de la policía montada; Miss USA, un Uncle Sam demasiado sonriente; Miss Venezuela, cruza de la Eva futura y la cacique caribe Anacaona—aunque entre la chatarra a lo Paco Rabanne sobre parodias de los penetrables de Soto emergían, furtivas, las inmarcesibles piernas goajiras.

Harén raudo

En este primer desfile me habría casado no sólo con Miss Venezuela sino con Miss República Dominicana Miss Nicaragua Miss Colombia Miss Filipinas—de no haber tenido a mi mujer al lado mirando el desfile con un ojo sólo. Afortunadamente tres latinoamericanas tres que-

73

daron entre las finalistas y así pudimos pasar más tiempo juntos ellas y yo. Y alguien más.

Un concurso de belleza es siempre un harén rápido.

Viaje a la Mecca Inc.

TEST === MISS WORLD BEAUTY CONTEST === MISS WORLD BEAUTY CONTEST === MISS

Fue en USA donde inventaron los modernos concursos de belleza, y en Atlantic City, sobre el famoso malecón de madera, tuvo lugar el primero, en 1921—ganado por esa tatarabuela sin dientes y calva que ven ustedes allí en su silla de ruedas.

Luego la Belleza se sintió (o sus promotores la indujeron a) crecer: la cabeza en las nubes, los senos hechos dirigibles, las nalgas popas de buque-tanque, las piernas le nacían debajo de las axilas, y, claro, no sólo América le quedó pequeña, sino también el hemisferio occidental, el globo, y sus tutores tuvieron que agrandarle el corral dándole espacio exterior, poniéndole balaustradas estelares, erigiéndole un pedestal cósmico. De entre las ondas galácticas nació una Venus capaz de aniquilar a Pascal, M I S S   U N I V E R S O ! ! ! ! ! ! !

Los ingleses, más modestos o menos irreales, se conformaron con investir a la ganadora de su concurso de belleza con el título de Miss Mundo, traducción bárbara pero gratamente aliterante de Miss World. Los impulsores, mantenedores y empresarios del concurso inglés pertenecen a la Mecca Incorporada, organización que no solamente tiene salas de baile repartidas por todo el Reino Unido, sino que ha ganado millones entreteniendo

74

a nacionales y extranjeros en artes combinatorias que pueden o no incluir a Terpsícore entre sus dioses tutelares.

De la Mecca a la Zecca

Pero no todas las que vinieron a Mecca eran peregrinas fieles. También hubo herejes. Dos o tres concursantes (las más feas, estoy seguro: no hay eufanatismo) denunciaron el concurso como una patraña para tomar a la mujer como objeto decorativo, alienación producida, por supuesto, por el capitalismo, palabra que pertenece más a la escatología que a la historia.

En los corredores del *sancta sanctorum* de Mecca (la Kaaba de la reina de Saaba) se podían oír susurros tan alarmantes como sirenas. De hecho, *cantos* de sirena. Uno de ellos, melisma melanónimo, afirmaba que, si bien las concursantes africanas, de ganar, no llevarían mallas negras ni levantarían el pie izquierdo—conocido saludo del cancán pero también del Black Power—, se sospechaba sotto voce que por lo menos una de las concursantes pertenecía a la SCUM, esa *Society for Cutting Up Men* que muchos creían una broma (el hombre de UNCLE versus la mujer de SCUM, ¡Esposas de todos los países, uníos! No tenéis más que perder que vuestros maridos, etc.), hasta que su fundadora, Sophonisba Angusciola, convirtió a Andy Warhol en una espumadera *pop* embarrada de tomate Campbell. (La SCUM, entre paréntesis—es obvio—, ha sido traducida convenientemente al borenquenglish y al mexicaly y ahora tienen filiales en Nueva York y Los Ángeles llamadas Sociedad Para Invalidar Rápidamente Ombres, que muchos escriben solamente SPIRO—la SPIRO sostiene que su primera mutilación al ombre es la supresión ominosa de su hache, y en sus reuniones cantan su himno, que es la infinita repetición de un lema terrible, *In spiro spero!*)

Los meccanos atajaron los rumores sobre SCUM atacando de nuevo (capítulo 12), y a las acusaciones de ser alienantes capitalistas opusieron la memoria mítica.

«Se olvidan nuestras críticas—dijo a gritos un portavozarrón—que los concursos de belleza van de la mecca a la zecca, sin desdorar los presentes. En cuanto a lo de invención capitalista, ¿es que olvidaron el juicio de París?»

Tal vez. Pero si la boda entre Peleo y Tetis fue en efecto olvidada, lo peor que hicieron en Mecca fue recordarla. Arrojar la manzana de oro es acto tan beligerante como lanzar una granada de fragmentación—al famoso festín del tinmarín de dos pingüé sucedió nada menos que la Guerra de Troya.

La Nueva Troya

Estos meccatrefes olvidaron a Godofredo de Monmouth y no los culpo—¿quién puede tener una memoria de ocho siglos, a menos que sea un libro? Para aquellos lectores que no tienen la suerte de ser libros (ya lo dijo Jean-Jacques Rousseau, «El hombre ha nacido libro y en todas partes lo encontramos misionero»), puedo añadir que Godofredo de Monmouth es culpable de haber introducido en la cultura occidental (y en esa biblioteca suya que mide cien lomos de ancho) la leyenda de Arturo y los caballeros de la mesa redonda. A don Godo debemos pues la búsqueda del Santo Grial por todos los rincones (en conspiración con Chrétien de Troyes), la concepción actual (bueno, hasta que se volvió a casar Jackie Ya-saben-quién) del amor, las novelas de caballería, la damisela en apuros, el *Quijote*, varias óperas de Wagner, la radiante prosa de Joseph Bédier, las aventuras dibujadas del Príncipe Valiente, Aleta et al., la cinta *Camelot* y la estrafalaria noción de que Richard Harris sabe cantar. También aquellos polvos galantes trajeron el romanticismo y el concepto de la mujer adorable (esto es, objeto digno de ser adorado, la hembra de la especie convertida en culto) que originaron los concursos de belleza.

Pero Godofredo, que fue muy respetado en la Edad Media, es calificado hoy por la *Britannica* de «temerario estafador». Quizás haya contribuido a ese epíteto la falsificación que sigue, aparecida en su *Historia regum Britanniae*: Bruto, nieto de Eneas, recogió los remanentes de la raza *troyana* y se estableció con ellos en Inglaterra, entonces deshabitada—«si se exceptúan unos pocos gigantes». Bruto y los otros fundaron no muy lejos de Mecca Inc. una colonia a la que pusieron por nombre, por supuesto, la Nueva *Troya*, Troynovant en esa época y algunos años más tarde llamada por el nombre más reconocible de Londinium.

Troynovant and Gibraltar

Y aquí en Londres fue casi de nuevo Troya—no por culpa de Tebas, sino de Gibraltar. La última gran escaramuza de este concurso que más parecía una guerra de amazonas, fue la retirada de la candidata española, quien exigió excusas y reparación (nunca cumplidas) de la candidata de las bellezas gibraltareñas. Miss Gibraltar, conocida poco antes como Sandra Sanguinetti (sin parentesco con el novelista experimental del mismo nombre) declaró en un artículo de bienvenida que «se alegraba de que España estuviera también representada en Londres». La candidata española, María Amparo Rodrigo Lorenzo, atacada de esa forma actual de la paranoia que es la conciencia política, se sintió pinchada con un adverbio contundente y entendió que Miss Sanguinetti quería decir que la presencia de la señorita Rodrigo (buen nombre para una cruzada nacionalista), en el mismo lugar y al mismo tiempo (léase Mecca), significaba que el gobierno español reconocía tácitamente la existencia de Gibraltar como estado político independiente. Miss Gibraltar dijo «*Oh, my God!*» con acento levemente italiano, la señorita España dijo que si no había excusa no habría España (en el concurso), Miss Sanguinetti dijo que ella se excusaría con gusto si supiera de qué tenía que excusarse, doña María Amparo dijo entonces «¡Ya basta!»—y como no hubo excusa gibraltada no hubo concursante hispana, el peñón una vez más un puñal.

La última palabra la tuvo, como siempre, un político profesional. William van Strabenza, parlamentario conservador con memoria de elefante de Flandes, propuso en los Comunes una moción para que «esta Cámara aplauda la dignidad con que Miss Gibraltar ha rechazado la infantil petulancia de Miss España». Antes de declarar que la ocasión, al ser pintada calva, debía tomársela por las barbas politizadas y no dejarla pasar inadvertida para los anales de la Cámara de los Comunes, añadió una frase que debía ir al principio o al final, ya que definitivamente hace de la política una rama de la metafísica: «Éste es un ejemplo más de la dominación que el cerebro puede ejercer sobre las estadísticas».

No había oído conversión tan vertiginosa de lo concretamente real en misteriosamente abstracto desde los días en que Germán Puig, director de la Cinemateca de Cuba, quiso explicar por qué tantas veces había noche donde Louis Delluc amorosamente puso sueños en su *Fièvre*, y al intentar excusar los extraños interludios (que se iban volviendo habituales por vejez de la película), dijo simplemente, solamente, la sala a oscuras, su voz cavernosa y súbita arrebatando el micrófono a Ravel de fondo: «Las interrupciones son debidas a las perforaciones».

Después no hubo más que tinieblas y silencio, como al Principio.

Fin de fiesta por toda la compañía
(o ¿Cuánto quieres apostarte
que la guerra de Troya no sucederá?)

Las finalistas (junto a Miss Mundo en las fotografías, besuqueonas y congratulantes mutuas, todas llenas de sonrisas y de testas coronadas, pero mirando a Penélope (Plummer) como Hera y Athena debieron mirar a Afrodita Ganadora) fueron: Cecilia Amabuyok (Miss Filipinas), quinto lugar; Beatriz Sierra González (Miss Colombia), cuarto; Mirey Zamir (Miss Israel que podía ser Miss Finlandia: vikinga dibujada por Hal Foster), tercero; Kathleen Winstanley (Miss Reino Unido), segunda que debió ser primera—al menos para sus papás, que permitieron instalar una cámara de televisión en su sala. Asimismo para todos los que creen que Britania debe reinar no sólo sobre las ondas, también sobre las curvas.

Para mis ojos (el profesional y el otro, el del alma: tuerto sentimental que soy) debió ganar la candidata colombiana, Beatriz que encontrará más de un Dante. Habría apostado por ella si no fuera porque las apuestas para concursos de belleza serán pronto ilegales en todo el Reino Unido. De ahora en adelante, todo el que apueste qué hembra ganará, tendrá que poner su dinero en las yeguas. No ocurrió esta vez porque un tocayo provisional, William Hill, vo-cero de una conocida firma de apuestas, tuvo esta coartada a tiempo:

«Todo el atractivo del concurso de Miss Mundo—dijo Hill—está en el estudio de las formas y en escoger según el gusto de cada cual—los verdaderos elementos que constituyen una apuesta».

Un sabio golpe de datos que no abolirá los juegos de azar—al menos por ahora.

OBSCENO

Un día de octubre de 1952 vino la policía (secreta) a llamar a mi puerta. Llegaron por la tarde y usando un subterfugio. Antes habían estado en la redacción de la revista *Bohemia*—la más importante de Cuba y una de las mejores de América—, en cuyas páginas había yo publicado la semana anterior un cuento que tenía malas palabras (en inglés). Allá en la revista entrevistaron al jefe de redacción, Antonio Ortega (de quien yo era secretario privado), que les dio mi teléfono después de decir que ignoraba mi dirección. El teléfono era privado y, al no estar en la guía, los policías se dirigieron a la central telefónica, que a su vez se negó a dar mi dirección—aun a la policía. Lo que demuestra hasta qué punto funcionaban en Cuba las garantías democráticas mínimas todavía después de seis meses de gobierno ilegal por Batista y su pandilla.

Poco antes de llegar los policías, recibí una llamada telefónica «de parte de la oficina del cable», en la que decían tener un telegrama para mí que solamente contenía mi número de teléfono y si sería yo tan amable de dar mi dirección para hacerme llegar el cable. Dije mi dirección, desprevenido y estúpido, no a la oficina del cable (que no existía, el tal telegrama), sino a la policía secreta. A los diez minutos estaban en casa, donde pronto reinó la consternación propia de un barco que naufraga. Mi madre se halaba los pelos y amenazaba con lanzarse del balcón del cuarto piso en que vivíamos, mi padre decía algo que nadie atendía y mi hermano me acusaba

81

de ser inocente. Mientras tanto, los policías seguían en la puerta, aparentemente incapaces de entrar o salir. Uno llevaba una larga guayabera blanca, sucia, que le cubría los pantalones beige con rayas verticales color chocolate. El otro vestía pantalón gris y camisa gris y sobre ambos llevaba una *jacket* de nylon azul oscuro. Los dos usaban sombrero.

Ahora me pedían que los acompañara. Pedí permiso para cambiarme por un traje y cuello y corbata: el uniforme entonces de los que respetan la ley—años después sería lo contrario: una vestimenta culpable. Los policías dijeron que no hacía falta: así como estaba yo estaba bien. Mi padre pudo por fin preguntarles, en un momento de calma, si podía acompañarme. Los policías dijeron que no hacía falta. Aparentemente nada hacía falta. Solamente mi compañía resuelta, y ellos prometieron que mi estancia entre ellos sería corta. Los acompañé con más temor que resolución hasta las oficinas de la policía secreta, que no hay que confundir con el Buró de Investigaciones y el SIM (Servicio de Inteligencia Militar) o con el BRAC (Buró de Represión de Actividades Comunistas), aún por crear, o con la policía nacional: ellos eran la Secreta.

El edificio de la Secreta era una vieja casa de la avenida Simón Bolívar, antiguamente y siempre llamada calle Reina. Cuando entramos, todas las caras policiales secretas de la carpeta se volvieron hacia nosotros. (Aquí tengo que interpolar que yo, a los 22 años, de flaco y pequeño y barbilampiño, parecía tener más bien 16 años de edad.) El policía de guayabera o tal vez el otro dijo una frase memorable:

—Aquí etá éte.

Y con ella hizo arrancar la máquina de la burocracia policial. Me tomaron las huellas digitales. Me quitaron el cinturón, los cordones de los zapatos y unos cuantos centavos sacados de un bolsillo. Luego me hicieron pasar a un cuarto oscuro donde tomaron mi foto de frente y de perfil, finalmente me hicieron volver a la carpeta donde me leyeron la acusación hecha por un tal Armando Pérez Senis o Denis, a quien luego me pasé años tratando de encontrar. En la acusación, que tenía la forma de una carta al ministro de Gobernación, se hacía más referencia a la revista que a mí. Pero la revista por supuesto declinó tal honor y la acusación vino a caerme, literalmente, en el regazo.

Más tarde me pasaron a una celda que daba al patio de cemento y donde había por todo mobiliario un banco de madera y en un rincón un cubo de agua. Toda la celda, hasta las pulidas rejas a la altura de la cara, olía a orines. Me encerraron allí, pero no por mucho tiempo. Al poco rato vino otro policía, abrió la puerta y me ordenó que lo acompañara. Subimos al primer piso, donde me hicieron sentar frente a otro policía, más viejo y con cara más amable, quien empezó a interrogarme. Bien pronto el interrogatorio se hizo personal, con esa particular personalización que tienen los policías de considerarse personalmente ofendidos por la comisión de cualquier delito. Por mi parte, el miedo y la timidez me hicieron responder negativamente—negativamente para mí, esto es.

—¿Qué le hizo escribir semejante basura?

Pasando por alto la crítica literaria a rajatabla, yo creía que el delito era la publicación, no la escritura de las malas palabras, y así se lo dije.

—Bueno, ¿por qué ha publicado usté esto?

Tenía la revista sobre el buró, abierta en la página que decía «Balada de plomo y yerro», y ahora golpeaba la ilustración—bastante mala, por cierto—con su regordete dedo índice. Cada vez parecía más un crítico literario que un policía.

—¿No le da pena?

Le dije que a mí no me daba pena: ese lenguaje realista lo hablaban los personajes.

—¿Y si su hermana lee esto?

Le dije que yo no tenía hermana.

—Bueno, entonces su señora mamá.

Le dije que mi madre no sabía inglés—y ésta fue mi última contribución al interrogatorio. El policía empezó a ponerse rojo de la frente para abajo y finalmente estalló en una furia que parecía incontenible.

—¡Esas insolencias le van a costar caro, amiguito! Oye, tú—se refería al policía que me había traído, de pie no lejos de allí—, llévatelo y enciérralo allá abajo—. Y añadió en un tono casi silbante: —¡Con la ley no se juega!

Vuelta a la celda. Era un poco más del mediodía. Como a las cuatro apareció una cara conocida que miró un momento y pasó de largo: ¡era Noa, un amigo que se las había arreglado para pasar al baño! Su cara regresó, tan inexpresiva como antes y desapareció tras el muro del patio. A las seis—ya oscurecía—vino a verme Antonio Ortega. Estuvo unos minutos solamente. Luego, días después, me dijo que dentro de la celda yo parecía un conejillo de Indias en su jaula. Estuve a punto de decirle qué cara tendría él, de estar en mi lugar. Pero, como otras veces, me callé.

Al poco rato se apareció Juan Blanco, amigo y futuro concuñado, que era abogado. Me aseguró que me sacaría de allí «en un dos por tres» y desapareció en el crepúsculo. Alguien vino de un café cercano con un sandwich y un café con leche. Cortesía de Juan Blanco, no de la ley.

Fue poco después que empezaron los martillazos. Ahora debo aclarar que, para hacer la situación más melodramática, La Habana estaba amenazada por un huracán o una tromba marina o un ras de mar—o todas estas cosas juntas. Para proteger el edificio de la Secreta se clavaban puertas y ventanas dondequiera, pero nadie venía a asegurar la celda contra la lluvia, que empezaba a colarse horizontal desde el patio abierto. Los martillazos siguieron durante casi toda la noche. Resignado, decidí acurrucarme en el rincón más alejado de las rejas, pero más cercano al cubo de los excrementos. Apenas dormí: entre el mal olor y los malos ruidos: ahora el viento se añadía, agorero, a los martillazos que sonaban más lejos, tal vez en una casa vecina. Como todo cubano, consideraba siempre la aparición de un ciclón como una fiesta y a la vez como una calamidad. Pero ahora era solamente la calamidad la que veía venir en forma de vientos huracanados y olas marinas, que inundarían mi celda y de seguro me ahogarían entre el excremento y las rejas.

Pero a la mañana siguiente el tiempo estaba despejado. El huracán había cambiado de rumbo durante la madrugada y no pasó sobre La Habana, sino más al occidente.

Afuera, en la calle, se reunían mis amigos: Carlos Franqui, a quien no dejaron pasar a verme (y mejor así, ya que sostenía la tesis de que me convenía estar preso:

por razones políticas y de publicidad personal), Noa (a quien desde entonces vi con ojos paranoicos: haber entrado tan fácilmente al interior del bastión policíaco lo había convertido en un posible policía), Rine Leal (viejo amigo y futuro concuñado) y otros más que no quiero recordar ahora.

Hacia el fin de la tarde la celda se abrió y un policía me ordenó que lo siguiera. Salimos hacia la entrada, a la carpeta. Allí estaba mi padre, sonriendo apocado y pequeño como siempre. Un sargento me extendió una planilla y dijo:

—Firme aquí.

Yo tomé la pluma y me apresté a firmar la forma.

—No tan rápido, muchacho.

Era un teniente, de uniforme—traje civil—recién puesto, que miraba la escena divertido detrás de la carpeta.

—Nunca firmes nada sin leerlo.

No sé si sonreí. Sólo sé que miré la planilla tratando de leer su letra menuda. La lectura la interrumpió el sargento de carpeta.

—Acaba de firmar, viejo.

Firmé y me devolvieron mis cordones, mi cinturón y mis centavos. Eché los últimos en un bolsillo y me puse el cinturón y amarré los zapatos lo mejor que pude, disponiéndome enseguida a salir afuera.

—Eh, ¿dónde tú vas?

Era el sargento.

—Pera, pera, muchacho, que todavía no hemo terminao contigo.

Y añadió por encima del hombro:

—Ya se lo pueden llevar.

Hablaba a la pareja de ayer, a los dos policías, uno gordo y todavía de guayabera y el otro flaco y con capa de agua. Cada uno me cogió por un brazo y yo los acompañé sin demora. Atrás quedaba mi padre, todavía sonriendo apocado, y, en los portales, delante, rápidos y de pasada, los amigos de ayer. Los dos agentes me hicieron subir a un automóvil, que arrancó en dirección a La Habana Vieja, en completa oposición a El Vedado, donde yo vivía. No me llevaban hacia mi casa, sino a presentarme al tribunal de urgencia, como supe poco después.

Todavía estaban en las calles las señales del ciclón que no ocurrió: vidrieras con tablas y una que otra ciclonera. (Se llamaba en Cuba cicloneras a las mujeres que salían a la calle en pantalones en cuanto había la menor señal de ciclón, ocasiones que eran para todos una extraña combinación de fiesta y de infausto.) Al entrar en La Habana Vieja atravesaba la calle angosta una muchacha como de doce o trece años, vestida con un pantalón particularmente estrecho. El policía de civil que manejaba el auto lo detuvo para dejarla pasar y cuando hubo pasado gritarle:

—Niña, guárdame esos pantaloncitos pero cuando estén bien sucios.

Pensaba yo que por una obscenidad menor era yo conducido a los tribunales, cuando la máquina patinó y se ladeó peligrosamente: por descuido del chofer habíamos caído en una de las trincheras cavadas por Obras Públicas para el acueducto.

—¡A bajarse!

Bajamos todos. El auto tenía las dos ruedas de la derecha dentro de la zanja.

—¡Me cago en mi madre!

El policía que manejaba siguió maldiciendo entre dientes. El otro policía sugirió que arrimáramos el cuerpo para levantar el carro y ponerlo de nuevo en la calle. El primer policía pidió ayuda a alguien que pasaba y comenzamos a tratar de levantar el auto de la zanja. De pronto me pasó por la cabeza la idea de que los policías estaban tan ocupados en sacar el carro del atascadero, que yo podía salir caminando y no notar ellos mi ausencia por un buen rato. Afortunadamente, deseché esa idea y ayudé a sacar el carro de la zanja.

Cuando llegamos al edificio del tribunal de urgencia, pegado al puerto, las grandes puertas del viejo palacio estaban cerradas.

—¡Me cago en Dios!

—Y ahora, ¿qué?

—De vuelta a Reina, ¿no?

—Qué de qué. Mejor lo dejamos ya en el Príncipe.

Mientras los dos policías discutían mi destino, pensé que no era casualidad que hubiéramos llegado tarde a los tribunales, que mi traslado a la prisión del Príncipe, a esperar hasta el lunes para presentarme a los tribunales, era una manera de burlar el *habeas corpus*, que desde un principio estaba yo destinado al Príncipe. Todo, sin duda, fue urdido en el ministerio de Gobernación: los de la Secreta fueron solamente los intermediarios.

Cuando llegamos a la fortaleza en la loma que era el Príncipe, eran las cinco de la tarde. El centinela se cuadró delante de nosotros.

—¿Quién va?

—La Secreta.

—Vamos a dejarle aquí un cliente hasta el lunes.

—Adelántense para ser reconocidos.

Entramos por el portón y comenzamos a subir una angosta escalera a la derecha. A mi espalda sonó la puerta de hierro como en un melodrama radial: un ruido que era un mensaje. Nunca me sentí peor que subiendo aquellos viejos y gastados escalones de piedra. Me veía subiendo la escalera, no a una celda provisional, sino a una verdadera prisión en una fortaleza: el castillo del Príncipe sería mi Colditz, mi castillo de If.

En la recepción mis acompañantes presentaron los papeles y el cabo de guardia gritó en mi dirección pero dirigiéndose a alguien fuera del campo de visión:

—Uno para la celda número uno.

Entré hacia la celda número uno más encogido y apocado que mi padre. Me asignaron una cama cerca de la puerta y en ella me senté. No me habían quitado ni los cordones de los zapatos ni el cinturón, pero algo me habían quitado además de la libertad. Me quedé un buen rato sentado en la cama. Luego llegó la hora de la comida. Venían repartiéndola dos presos de una gran olla de lata que era como un cubo gigante. Me indicaron que cogiera el plato y la cuchara que había a la cabecera de mi cama, sobre un quicio. Los cogí en la mano y desde arriba cayó sobre el plato una bola de la bazofia gris-amarillo que era la comida. Intenté comerla pero sabía peor de lo que parecía: no pude probar bocado. Por un momento me dieron ganas de llorar. Pero fue sólo por un momento, ya que alguien me ponía una mano sobre un hombro y me decía:

—¿Qué, mala la comida, no?

Me volví para ver a un preso alto y fuerte y extraordinariamente parecido a Steve Cochran, el actor de cine. Me extendía una mano.

—Mi nombre es Jorge Nayol Nasser.

Le dije el mío.

—¿Por qué estas aquí?

Le dije por qué. Sonrió con todos sus dientes perfectos.

—Primero vamos a arreglar lo de la comida.

Se volvió.

—Oye, tú, un par de huevos fritos con arroz para acá.

Hablaba con alguien al fondo, que se dirigía hacia un lugar bien definido en la gran celda donde había por lo menos diez presos y unas quince camas. Este lugar a que se dirigía el preso llamado tú por Jorge Nayol era como una especie de celda dentro de la celda y allí había una nevera, una cocina y pomos y latas de conserva. Todo ello—incluyendo al cocinero—pertenecía a Jorge Nayol Nasser—y ahora tengo que explicar quién era Jorge Nayol Nasser.

A fines de los años cuarenta o tal vez a comienzos de los cincuenta ocurrió un asalto a un banco del paseo del Prado, del que los asaltantes lograron sacar un millón de pesos limpios—que era como decir entonces un millón de dólares: una cifra récord. Los asaltantes habían sido un viejo delincuente, a pesar de sus pocos años, apodado Guarina, un chofer de taxi llamado el Chino Prendes—a quien yo conocí brevemente por haber sido novio de una muchacha de mi pueblo que vivía en la misma cuartería que mi familia *circa* 1948—y Jorge Nayol Nasser. Los asaltantes, que huyeron sin problemas, fueron descubiertos porque Guarina guardó parte del dinero en casa de su padre, en el campo, y una de sus hermanas era novia de un soldado, quien se enteró de los sacos llenos de billetes y avisó a la policía. El Chino Prendes y Guarina murieron en prisión años después, tratando de escapar de Isla de Pinos, mientras que Jorge Nayol Nasser guardaba prisión preventiva en espera de su juicio. Su foto de forajido apuesto había aparecido muchas veces en los periódicos, siempre vinculado a sucesos violentos o fuera de la ley.

Ahora Jorge Nayol Nasser era el jefe de la celda número uno. Recuerdo que después de comer nos reunimos junto a la cama frente a su celdilla privada y los demás presos me aceptaron con un calor humano que contrastaba con la inhumanidad despectiva de la policía. Hablamos de lo que hablaba Jorge Nayol Nasser, y éste hablaba de lo que hablan todos los presos comunes del mundo: de sus obsesiones criminales. La de Jorge Nayol Nasser era el robo perfecto. Había estado preso en Estados Unidos, en Sing-Sing, y contaba cómo al llegar a la prisión y ver los cinco o siete pisos de celdas, desde el patio, él se había dicho, «Jorge, aquí tienes que ser hombre a todas». Sobrevivió a la cárcel, no así los que llegaron con él: uno se suicidó lanzándose al patio desde el último piso, de cabeza, y el otro preso se había vuelto loco en la prisión.

Pero Sing-Sing había sido más que una cárcel para Jorge Nayol Nasser: había sido una educación. Allí conoció varios presos que entraron a formar parte de su mitología personal: el abre-cajas-fuertes que es llamado a abrir un cofre-fuerte del estado, cuya combinación se ha perdido y que contiene valiosos documentos: le conmutan la pena al conseguir abrirlo; el asaltante de bancos con mil años de prisión consecutiva; y, finalmente, el veterano criminal que se hace su consejero. Fue gracias a este último que concibió el plan de asaltar el banco habanero. Fue en Sing-Sing que se maduró este plan, al conocer el veterano lo mal guardados que estaban los bancos cubanos. «Pero—terminaba Jorge Nayol Nasser—nunca debí fiarme a un maricón». Se refería por supuesto al asaltante apodado Guarina.

Otro de los reunidos en aquel corro criminal era el frustrado asaltante del banco de Miramar, episodio violento que había sido relatado en los periódicos no hacía mucho. Éste había sido herido en una pierna y hacía poco que había dejado el hospital de la cárcel. Vino a hablarme.

—¿Tú fuiste el que escribió ese artículo de *Bohemia*?

Dijo, claramente, artículo y no cuento: hay mucha gente que lo hace: son los que se niegan a ver ficciones escritas: para ellos toda letra impresa es una imagen de la verdad. Pero me asombró su observación.

—Compadre, usté no sabe de lo que está hablando. Así no se hace un atentado.

Mi cuento hablaba de gangsters políticos que hacen un atentado al hombre equivocado.

—Yo te voy a contar cómo se hace.

Nunca lo hizo pero luego añadió una posdata terrible.

—Aquí lo que sobra es gente pa matar.

Quería decir gente capaz de matar, pero así fue como lo dijo. Después me siguió hablando del asalto: el robo perfecto que salió mal, y finalmente terminó con una breve referencia a su pierna inválida.

—Pero yo voy a volver a caminar como un hombre.

En la conversación todos expresaron su deseo más inmediato. Para Jorge Nayol Nasser era volver a robar un banco. Para otro de los circunstantes era salir libre cuanto antes. Para mi último interlocutor era volver a caminar sin cojear.

Cuando el gangster que quería salir libre en su próximo juicio abandonó el grupo, Jorge Nayol Nasser me dijo:

—A ése le tocan por lo menos treinta años.

Así fue en realidad. Pero el detalle más punzante de la conversación fue cuando el gangster inválido dejó el grupo: pude ver que tenía la pierna izquierda mucho más corta que la derecha. A esta imagen añadió Jorge Nayol Nasser:

—Tú lo ves, ni aunque lo operen sesenta veces vuelve a caminar bien.

Jorge Nayol Nasser estaba convencido de que él era el único a quien los jueces no podían tocar: tenía la coartada a toda prueba y saldría libre de su juicio. Y así fue efectivamente: pocos meses después andaba por la calle, libre, y se fue para Venezuela. Tratando de robar un banco en Caracas lo mataron, pocos años después.

Vino la noche y de nuevo el día: en la cárcel hay que hacer una vida regulada: acostarse y levantarse temprano. Pero el nuevo día me trajo una sorpresa. Poco después de las diez me llamó un guarda y me dijo que fuera a la entrada. Y allí, en el deteriorado salón de visitantes, estaba Juan Blanco, con un papel blanco en la mano.

—Tu *habeas corpus*. No me preguntes cómo lo conseguí. Aquí está. Vámonos.

No comprendía bien. Hasta que el guardia me repitió que ya podía irme no comprendí que estaba libre. Regresé a recoger mi chaqueta y me fui en silencio. No me despedí de ninguno de mis nuevos—y raudos—amigos.

Afuera, en la explanada del castillo, había un taxi esperando y, recostado contra él, Rine Leal. Nos fuimos los tres hasta mi casa, que, irónicamente, quedaba a una pedrada de la cárcel.

En mi casa me esperaba mi novia, llorando de felicidad. Fue la misma con quien, empujado por esta entrevista en lágrimas, me casé apenas ocho meses después. Poco antes del matrimonio tuvo lugar el juicio. La causa había pasado del tribunal de urgencia—para el que mi delito era poca cosa—al tribunal correccional. Recuerdo que el juez tenía fama de severo y también de hombre corrido. En el patio, en celdas corroídas por el tiempo y el mal tiempo, esperaban su juicio varias prostitutas y es posible que hubiera más de un proxeneta y uno que otro violador en las otras celdas que no vi. Pero para este juez mi caso era tan licencioso, que nos hizo pasar a otro salón, mientras el ujier comentaba en alta voz:

—El juicio siguiente se celebrará en cámara.

Quería decir *in camera*, tras puerta cerrada—y así se celebró. Apenas tuve que hablar, pero tuve mucho que oír. El buen juez me dictó una conferencia acerca de la bondad de escribir sin poner lo que él llamaba «las groserías de la vida cotidiana», y terminó con una frase digna de su cargo:

—Para que no lo vuelva a hacer (tome nota, secretario) ciento cincuenta cuotas de un peso.

O su equivalente en tiempo: para la justicia, de veras, *time is money*. Para mí, en aquella época, ciento cincuenta dólares era una fortuna. Yo había ahorrado para el juicio unos sesenta pesos. Entre Juan Blanco y Antonio Ortega completaron el dinero de la condena. Pero el castigo no terminó allí, delante del juez correccional, sino en el ostracismo a que la publicación del cuento me condenó, impidiéndome seguir por dos años la carrera en la escuela de periodismo y condenándome, además, a no volver a publicar otro cuento, artículo o crónica con mi nombre propio en mucho tiempo. Quizá de aquí venga mi pasión por los pseudónimos (he escrito por lo menos con cuatro) y las sucesivas transformaciones que ha sufrido, con los años, mi nombre.

CENTENARIO EN EL ESPEJO

TARTAMUDO Y FEO,
VENERABA LAS PALABRAS Y LOS CONSEJOS

¿Ya saben ustedes qué es un contradictorio?

CONTRADICTORIO (del b. lat. *contradictorius*, de *contra* y *dicere, dict.*, 'decir lo contrario'), adj. Que tiene contradicción con otra cosa.

No, no es exactamente eso que dice el diccionario y no es un adjetivo, sino un nombre común, casi propio. Me refiero a los indios que descubrió Sorokin. No que Sorokin fuera un pionero ni un cazador de pieles, ni siquiera un explorador. Era, es un sociólogo, Pitirim Sorokin, un ruso que se negó a ser soviético y vino a los Estados Unidos y descubrió a los contradictorios para la sociología. Más que una tribu eran una casta dentro de la tribu, los *samurai* (sí, esa palabra es un plural de majestad) de la pradera, soldados de raza. Los guerreros, cuando no había guerras que hacer, eran aristócratas, como en todas partes. Pero los contradictorios tenían en la paz un comportamiento más original que cualquier lord, hidalgo o shogun: eran dados a hacer chistes, bromas ligeras y pesadas, farsas, tomaduras de pelo (por favor, no confundir con las dolorosamente célebres *scalps:* en éstas no sólo se tomaba el pelo: el cuero cabelludo también) y creaban el sinsentido general. Se les perdonaba porque la tribu dependía de ellos en la guerra. Es decir, los soportaban en la paz por contar con su apoyo (decisivo) en la batalla.

Los contradictorios pasaban días enteros sin hablar o bien hablaban sin parar durante días. Cuando se les dirigía el saludo no respondían, pero siempre saludaban a alguien que no estuviera en condiciones de responder: un muerto, digamos. Hay de ellos un cuento ejemplar. Una vieja sioux pidió a un contradictorio una piel para abrigarse, ya que era el invierno más frío que recordaba la tribu desde el año pasado. El contradictorio no respondió. La vieja se retiró quejosa. «¡Qué tiempos éstos!», decía en su equivalente indio. Días después, al levantarse, encontró una piel humana ante su tienda. Corta y perezosa (era pequeña y se acababa de despertar) se dirigió al consejo de ancianos a formalizar su protesta. Los *elders*, por supuesto, reprimieron duramente... a la vieja. «¡Insensata!—le dijeron así o palabra aproximada en la traducción—. ¿Cómo se te ocurrió pedir algo a un contradictorio? ¿No sabes que ni siquiera podías dirigirle a uno de ellos la palabra? ¿No has oído decir más arriba que ni contestan el saludo? ¡Que sobre ti y los tuyos caiga la maldición de esa alma desollada! Se levanta la sesión».

La cuestión, el meollo, a donde quiere llegar este artículo hace rato (eso que los académicos llaman mi tesis) es que, más que una casta, los contradictorios son una categoría humana: hay contradictorios dondequiera. Donde más abundan (aparte de España... ¿cómo?, ¿ingleses?, en Inglaterra lo que hay son excéntricos y eso es exactamente lo contrario a un contradictorio: los excéntricos siempre son iguales a sí mismos y ni siquiera la eternidad los cambia, además este contradictorio de que hablo es, era inglés), donde más hay es en la literatura. Petronio, por ejemplo, es un contradictorio temprano y Hemingway un contradictorio actual, sin tener en cuenta que una vez me dijo que tenía sangre india. Hay más, allá, de donde vengo. Cientos de ellos: Cervantes, Quevedo, Marlowe, Shakespeare, Byron, Goethe, Gogol, Chejov, Melville, Mark Twain, Baroja, los dos Lawrence, D'Annunzio, Nabokov: miles. Pero hay uno que yo me sé: el reverendo Charles Lutwidge Dodgson, que es un magnífico ejemplar de contradictorio, sin desdorar los presentes. No lo hay mejor en su peso, y libra por libra es superior a los demás contendientes. Allá en esa esquina de la inmortalidad está el reverendo. Viste traje de *clergyman* y saluda al público y ahora, con guantes blancos, hace *shadow-boxing*, pelea con su sombra. Es el único pugilato permitido a las sombras.

Nacido en Oxford en 1832, fue toda su vida profesor de matemáticas en el cercano colegio de Christ Church. Anhelando ser clérigo, se ordenó diácono en 1861, pero un tartamudeo congénito le impidió dedicarse al sacerdocio. Como otros famosos tartamudos ingleses (Somerset Maugham, Arnold Bennett), echaba al papel las palabras que se le quedaban en la punta de la lengua, o quizá más atrás. La dislalia se hizo logorrea y Dodgson escribió

> sermones
> novelas
> cuentos
> piezas de teatro
> poemas
> parodias
> anagramas
> sátiras
> ensayos

            panfletos
            diarios de viaje
            cartas (miles de)
            canciones
            canciones de cuna
            tratados de matemática
            de lógica
            problemas
            acrósticos
            criptogramas
            y un diario personal que no se acaba nunca.
Soltero empedernido, aborrecía la soledad y frecuenta-
ba toda clase de reuniones sociales. Hasta pícniques—y
hay un pícnic que hizo el 4 de julio de 1862 que es a la
literatura lo que otro 4 de julio para la historia nortea-
mericana: el Día de la Independencia. Detestaba a los
niños con la misma pasión que amaba a las niñas (en ese
pícnic famoso le acompañaba otro clérigo y las tres hijas
del rector del colegio: «Prima», la mayor, de 13 años;
«Secunda», que llegaría a ser una de las niñas más famo-
sas de la literatura, de 10 años, y la hermanita menor,
Edith, de 8 años y medio), y aunque en una ocasión par-
ticipó en un incidente en que una madre inglesa le pidió
que no volviera a frecuentar a su niña, a quien solía sentar en las piernas... a los 17 años, Dodgson era estimado
por su religiosidad, sentido del orden y amor por el có-
digo de virtudes victorianas. Llegaba tan lejos, que planeó expurgar Shakespeare y hacer una edición para jovencitas, y una vez escribió a un amigo una carta (¡esas
respuestas de la escalera!) rogándole que no volviera a
contar en su presencia historias en que las ocurrencias
profanas de sus niños (quiero suponer que eran varones)

sirvieran para breves ejercicios de blasfemia protestante, y la carta quedó como un asombroso modelo de pacatería británica. Sin olvidar que en su *Curiosa mathematica* recomendaba antídotos numéricos para desterrar «los pensamientos non-sanctos, que torturan con su odiosa presencia la fantasía que debe manifestarse pura». Sus narraciones infantiles no fueron nunca muy apreciadas por los niños, sin embargo. La razón hay que buscarla en las memorias de una joven actriz de quince años, que pasó una vez una temporada con Dodgson en la playa. «Se pasaba las noches enseñándome silogismos y juegos de lógica—escribe ella no sin malicia—, mientras afuera sonaba una orquesta en la glorieta y la luna brillaba en el mar». Martin Gardner, su apologista más brillante, dice al respecto: «... sólo porque los adultos—científicos y matemáticos en particular—continúan disfrutando [estos] libros es que tienen asegurada la inmortalidad». Maestro gris de ciencias y tutor tedioso, sabía, empero, deleitar escribiendo paradojas científicas como éstas:

LOS DOS RELOJES

¿Qué es mejor, un reloj que dice la hora exacta sólo una vez al año o uno que lo hace dos veces al día? «El último—responde usted—, sin la menor duda». Muy bien. Ahora atienda.

Tengo dos relojes: uno no funciona nada y el otro retrasa un minuto por día: ¿cuál prefiere usted? «El que pierde minutos—responde usted—. Incuestionable». Observe ahora: el que retrasa un minuto cada día retrasará doce horas o setecientos veinte minutos antes de estar correcto de nuevo, consecuentemente, no está bien más que una vez cada dos años, mientras que el otro está evidentemente correcto cada vez que la hora que señala llega, lo que ocurre dos veces al día.

Así que se contradijo usted una vez.

«Ah, pero—dice usted—, ¿de qué sirve que esté bien dos veces al día, si no puedo saber la hora?»

¡Vamos! Suponga que el reloj señala las ocho en punto, ¿no ve usted que el reloj está bien a las ocho en punto? Consecuentemente, cuando vengan las ocho su reloj estará correcto.

«Sí, ya lo veo», responde usted.

Muy bien, entonces se ha contradicho usted dos veces: ahora salga de esa dificultad lo mejor que pueda y no se contradiga más, si puede evitarlo.

Usted podría seguir preguntando, «¿Y cómo sabré cuándo vienen las ocho en punto?» Mi reloj lo dirá. «Tenga paciencia: usted sabe que cuando lleguen las ocho su reloj estará correcto, muy bien; luego la regla es ésta: mantenga sus ojos fijos en el reloj y, en el mismo momento en que esté correcto, serán las ocho en punto». «Pero...», dirá usted. Vaya, vaya, mientras más discute usted más se aleja de la cuestión, así que más vale que lo deje.

El método no está lejos del famoso «¿Qué quiere usted decir exactamente con eso?» de la lógica matemática, y nuestro contradictorio ha sido elogiado por el filósofo Bertrand Russell, citado por Norbert Wiener, el creador de la cibernética, plagiado por James Joyce, imitado por innumerables escritores, desde Gilbert Chesterton a John Le Carré, y parodiado dondequiera. Se le considera uno de los precursores de la metalógica (meta-lógica, no por favor metalúrgica) y un Marxista *avant la lettre*—y por Marxista, con mayúscula, quiero decir seguidor de los zigzagueantes pasos de los Hermanos Marx. Hay novelas, actos de vodevil, films, poemas, cuentos policíacos y una novela de espías, que sería mejor llamar *Guerra a través del espejo*, en que cada capítulo tiene un epígrafe de su libro más famoso, y narraciones metafísicas que prosiguen el discurso ecolálico del reverendo tímido, porque hay cierta locura en su método. Pero en su bibliografía, junto al inevitable psicoanálisis del autor y sus pesadillas escritas, encontramos libros que se titulan *Dodgson el lógico, Dodgson matemático, Dodgson y la paradoja geométrica, Dodgson el matemático* y *Los manuscritos matemáticos del reverendo Dodgson*, respectivamente escritos por eminentes científicos.

Sin embargo, este científico de científicos presentaba complejos problemas de lógica simbólica en diálogos que están más cerca de Abbott y Costello que de Aristóteles. Helo aquí manejando divertido la famosa paradoja sofista de Aquiles y la tortuga *pro domo sua*.

LO QUE LA TORTUGA DIJO A AQUILES

Aquiles alcanzó a la tortuga y se sentó cómodamente en su carapacho.

—¿Así que llegaste al final de nuestra carrera? —dijo la tortuga—. ¿A pesar de que consiste en una serie de instantes infinitos? Creía que uno que otro sabio que en el mundo ha sido dijo que nunca podría lograrse.

—Pues se puede—dijo Aquiles—. ¡Se hizo! *Solvitur ambulando*. Eso quiere decir: todo se resuelve andando. En latín, claro. Como sabes, las distancias disminuían constantemente: así pues...

—Pero si hubieran ido aumentando constantemente—interrumpió la tortuga—, ¿qué pasaría?

103

—Entonces no estaría yo aquí—replicó modestamente Aquiles—¡y tú habrías dado ya la vuelta al mundo varias veces!

—Me halagas... me alargas, quiero decir, aplastándome—dijo la tortuga—, ¡pues no pesas poco! Bien, ¿te gustaría oír el cuento de una carrera en que la mayoría de las personas piensan que pueden llegar a la meta en dos o tres pasos y que de veras consiste en un número infinito de distancias, cada una más larga que la anterior?

—¡Mucho que me gustaría!—dijo el guerrero griego, mientras sacaba de su yelmo (pues los guerreros griegos no tenían bolsillos entonces) un enorme cuaderno de notas y un lápiz—. ¡Prosigue! Y habla lentamente, por favor. ¡La taquigrafía no se inventó todavía!

—¡Qué bella esa Proposición Primera de Euclides!—murmuró la tortuga embelesada—. ¿Admiras a Euclides?

—¡Apasionadamente! ¡Tanto como se puede amar un tratado que no será publicado hasta dentro de muchos siglos!

—Bien, ahora vamos a coger una pizca de esa Primera Proposición, nada más que dos pasos y la conclusión que se pueda sacar. Por favor, toma nota. Y para que la referencia sea conveniente, vamos a llamar a estos elementos A, B y Z:

(A) las cosas que son iguales a una tercera son iguales entre sí;

(B) los dos lados de este triángulo son cosas iguales a una tercera;

(Z) los dos lados de este triángulo son iguales entre sí.

Los lectores de Euclides nos concederán, supongo,

que Z viene de A y B, ¿así que alguien que acepte A y B como verdaderos tendrá que aceptar a Z también?

—¡Indudablemente! El más torpe estudiante de bachillerato, tan pronto como se invente el bachillerato, lo que tardará siglos, ¡tendrá que admitirlo!

¿No recuerda a *Los hermanos Marx en el Oeste*, donde Chico, rodeado de cuatreros, quiere un teléfono para pedir auxilio y Groucho tiene que recordarle que en 1865 el teléfono no se ha inventado todavía? Los anacronismos son casi idénticos, pero más asombrosa es la destrucción minuciosa de la conversación por la aplicación sistemática de la lógica sobre la semántica con eficacia aplastante y removedora, como un tractor de escombreo. Los hermanos Marx son tan igual de demoledores, que no puede uno menos que preguntarse: ¿no será el reverendo el hermano Marx ausente?

Ésta es la prueba de sangre:

> GROUCHO (*ante un mapa*): ¡Esto no tiene solución!
>
> CHICO (*condescendiente*): Por favor, si es un problema que puede resolver un niño de tres años...
>
> GROUCHO (*final*): ¡Tráigame un niño de tres años!

El hombre llamado Dodgson era, además, feo como un cómico bufo. O peor que feo, raro, asimétrico: tenía un ojo más alto que otro y un hombro caído, pero vivía obsedido con los espejos, que aparecen dondequiera en su literatura. Los espejos, el doble y la obscena multiplicación de lo deforme son su tema eterno, y junto a los dobles malvados, a los monstruos repetidos, a los *doppel-*

gangeren, aparecen los niños (o las niñas, para tener la exactitud que siempre reclamaba), inocentes, atrapados por las variadas formas del mal, sometidos a las más atroces torturas, víctimas de complots sin fin, aunque siempre indemnes gracias a la inocencia que es un ángel de la guarda que nunca duerme, y finalmente liberados de las pesadillas por un gesto rebelde que convoca el dulce despertar a la protectora realidad cotidiana. El autor, formal, seco y tímido, en el laberinto adulto escribía a sus amiguitas cartas que son otros amables hilos en busca de Ariadna.

Oxford, 30 de noviembre de 1879

He estado terriblemente ocupado y he tenido que escribir *montones* de cartas, carretillas llenas de ellas, casi. Y me cansa tanto, que por lo general me meto en cama al minuto siguiente de haberme levantado y a veces me meto en cama un minuto antes de haberme levantado. ¿Oíste alguna vez antes de alguien que estuvieran *tan* cansado?

Sordo de un oído, era amante de la ópera, la opereta y las canciones populares, y estas últimas viven todavía la vicaria vida de sus parodias, casi siempre insensatas, desatadas. (Este amor por la música y las parodias le trajo no pocas amonestaciones de la curia anglicana, que desaprobaba tales «recreaciones mundanas». Loco por las palabras llegó a inventar una nueva clase de ellas, las palabras *portmanteau*, que él mismo explicaba como una palabra que lleva dentro otra y decía que era el resultado de un extremo, extraño balance mental, el trance equilibrado de una persona que al vacilar entre decir enfurecido o furioso, dijera, simplemente, *enfurioso*.) Fue uno de los pioneros de la fotografía y en cualquier historia de la invención, junto a los borrosos bodegones de Niepce o las vistas a ojo de pájaro de Nadar o las batallas de la Guerra de Secesión de Brady, aparecen las dulces, finiseculares, bellas niñas que posaban para el reverendo, muchas veces desnudas. (En su testamento mandó quemar todos los negativos o entregarlos a sus modelos, ya adultas.)

Los maliciosos de la literatura lo comparan a menudo con Humbert Humbert, el psicópata sexual de la *Lolita* de Nabokov, pero Dodgson era hombre de una increíble pureza de alma y de rara salud mental en un país como el suyo, donde destripar mujeres de mundo, violar niños y estrangular viudas solitarias parece ser un deporte nacional, otro cricket. El reverendo no era como otros escritores anglosajones (Thoreau, Henry James) un asexuado ni un perverso atraído por las niñas (como Edgar Poe), sino un hombre bueno, bondadoso, que había tomado al pie de la letra religiosa su ministerio y rechazó el derecho al matrimonio que la Iglesia de Inglaterra concede a sus clérigos, para escoger el celibato. Las niñas le ofrecían una segura amistad femenina desinteresada y Dodgson gozaba inocente la compañía de sus amiguitas, a las que mandaba, por carta, 10.000.000 de besos o cuatro besos y tres cuartos o dos millonésimas partes de un beso. En su diario cuenta cómo besó (esta vez no metafóricamente) a una niñita... para descubrir más tarde que tenía diecisiete años. Envió enseguida una carta con disculpas en broma a la madre, prometiendo que no volvería a ocurrir. Pero la matrona en cuestión no pareció divertida.

Anticipado siempre, es uno de los antecedentes de la literatura de ficción científica, al par que algunos le comparan a Kafka y aun llegan a situarlo como un precursor de Albert Camus y de la literatura del absurdo y de la vaciedad, y por lo menos una de sus escenas, un juicio en broma en que la reina, por encima de los jueces y el jurado, exige la sentencia primero y el veredicto después, recuerda penosamente los procesos de Moscú y los castigos políticos de Stalin. Suya es también una de las frases más felices de la literatura inglesa, un compendio de la necesidad metafísica del hombre y de esa nostalgia cristalizada que es uno de los nombres de la poesía:

> *y quiso saber cómo es la llama cuando la vela está*
> *ya apagada.*

El reverendo Charles Lutwidge Dodgson murió en la escondida ciudad de Oxford en 1898, tan famoso como Andersen, Poe y Dickens juntos, solamente acompañado por Mark Twain en su notoriedad total. En su tumba, en Christ Church o Iglesia de Cristo o Ch Ch (como gustaba llamar al colegio), bajo la usual anotación lapidaria, aparece el que es quizá su mejor epitafio:

SE HIZO LLAMAR LEWIS CARROLL
Y FUE EL AUTOR
DE «ALICIA EN EL PAÍS
DE LAS MARAVILLAS».

Digo quizá porque mejor habría sido decir:

AQUÍ ¿YACE? UN-NO,
EL CONTRADICTORIO.

APÉNDICE

TRES PROBLEMAS PARA INGLESES

1. *La cena*

El gobernador de Kgovjnl quiere dar una cena íntima. Invita al cuñado de su padre, al suegro de su hermano, al hermano de su suegro y al padre de su cuñado. ¿Cuántas personas invitó?

2. *Los dos ricos*

A y B empezaron el año con sólo 1.000 libras cada uno. Nada pidieron prestado, nada robaron. El próximo día de Año Nuevo tenían 60.000 libras entre los dos. ¿Cómo hicieron?

3. *Mutilados y pensionados*

Si el 70 % perdió un ojo, el 75 % una oreja, el 80 % un brazo y el 85 % una pierna, ¿qué porcentaje, mínimo, perdió ojo, oreja, brazo y pierna?

1: Una.

2: A y B fueron ese día al Banco de Inglaterra. A se colocó frente al banco mientras B dio la vuelta, colocándose al fondo.

3: Diez.

OFFENBACH

Aparición de

Jaime Diego Jacobo Yago Santiago Offenbach llegó a nuestra vida, sin todos esos nombres, hace exactamente seis años, sin previsión y de repente, como los milagros. Sucedió que un día fui a ver a un amigo, a quien yo visitaba a menudo, y allí estaba, imprevisto, impredecible, Offenbach, entonces un largo gato flaco y blanco que se subía por las cortinas y casi trepaba las paredes para luego venir a mi regazo, de un salto inaudito, comenzó a hacer los más extraños ruidos oídos jamás por mí: así debían cantar las sirenas. Al otro día llevé a Anita y a Carolita, mis dos hijas, a que lo conocieran. También iba Miriam Gómez. (Aquí tengo que hacer un paréntesis deshonroso: es necesario decir que Miriam Gómez siempre quiso, ya desde Cuba, tener un gato siamés y que yo, que había tenido de niño toda clase de *pets,* desde cernícalos hasta una jutía, que es como una rata gigante y herbívora de los campos de Cuba, yo siempre había sentido un innato disgusto contra los gatos, y me negué a tener uno, siempre.) Offenbach, que aún no era Offenbach, tenía solamente dos meses de nacido.

Conquista de... unos y otros

A la semana de haber conocido a Offenbach la novia de mi amigo viajaba a Gibraltar y ellos no tenían quién se ocupara del gato. Decidimos todos que viniera a casa por esas dos semanas. (Para completar la ocasión fausta, a mi amigo se le había declarado una fuerte alergia nasal producida por... ¡el pelo de gato!)

La conquista fue rápida y mutua: Offenbach había encontrado su hogar definitivo, el sitio a que estaba destinado, y nosotros habíamos encontrado al gato pródigo. De más está decir que cuando su dueña entre comillas regresó de Gibraltar ya no era la dueña: ella misma se encargó de decir que habíamos nacido el uno para los otros—y viceversa. Offenbach, por mutuo consenso, se quedaría a vivir en casa.

El porqué de un nombre

Todos preguntan por qué Offenbach se llama Offenbach y cuando digo por qué nadie quiere creerlo. Sucede que en los primeros días Offenbach solía cantar. A veces lo hacía a las dos de la mañana y su canto era tan poco melodioso que ofendía a Bach.

Ruidos raros

También a medianoche Offenbach solía visitar nuestra cama para hacer los más raros ruidos. Al principio creímos que se sentía solo o mal y la mejor manera de calmarlo era pasarle la mano por el lomo. Pero esto sólo hacía aumentar los ruidos raros, hasta que supimos que eran ronroneos de felicidad y contento.

112

Offenbach cambia de casa

Hay una vieja regla inglesa que declara a los gatos más amantes del lugar que de sus dueños y así hay miles de gatos abandonados en toda Inglaterra, simplemente porque sus dueños cambiaron de casa y decidieron dejar el gato detrás. Con Offenbach ocurrió todo lo contrario: él entró primero que nadie en la nueva casa y pronto estaba tan feliz, más feliz, que sus dueños: no era la primera, ni sería la última regla que Offenbach rompería.

¿Nadie es dueño de un gato?

Siempre había leído y oído decir que nadie es verdaderamente dueño de un gato, que se trata de una asociación libre que el gato puede romper cuando menos se lo espere y desaparecer para no volver jamás. No ocurre así con los siameses, a los que algunos llaman los gatos-perros, aunque en su nativa Siam eran llamados los gatos-monos. Offenbach es un siamés con puntos de lila.

Pedigree de

Offenbach es el único inglés de esta casa y aunque él se siente mejor al calor del sol, raro en Londres, sus padres y sus abuelos nacieron en Inglaterra. Fue por casualidad que supimos su pedigree: para nosotros Of-

113

fenbach podía ser un gato de callejón y todavía ser el centro de la casa: nosotros también somos egipcios. Pero sucedió que un día nos vimos forzados a castrarlo—los siameses son criaturas eminentemente sexuales—para terminar con sus celos que lo torturaban y nos perturbaban. Seguimos la indicación de un veterinario, famoso porque escribe libros sobre gatos y perros, a cuya consulta asistimos.

Al llegar a la consulta y ver el veterinario a Offenbach nos preguntó si teníamos su pedigree. Los siameses con puntos de lila son una creación de los criadores ingleses y más raros que el siamés corriente, ese que tiene manchas de café en la cabeza y en las patas y en la cola. Nosotros ni sabíamos ni nos interesaba el pedigree de Offenbach. El veterinario nos preguntó a quién pertenecían sus padres y sólo pudimos decir quién nos lo había regalado, que a su vez lo había recibido de un cantante de *pop*. El veterinario consultó su memoria y pronto supimos que Offenbach era nieto de una gata propiedad de George Harrison, el músico Beatle. Pero todavía más: había una enfermedad de la realeza, como la hemofilia rusa. Offenbach era nieto de un gato de nombre impronunciable que había pasado a toda su progenie una enfermedad fatal del páncreas. Así supimos que todos los hermanos y primos de Offenbach estaban muertos, atacados de repente por vómitos incoercibles. Offenbach había pasado el período peligroso y ahora está vivo solamente porque todas sus comidas llevan polvo de páncreas y no hace más que dos comidas al día —aunque él se las arregla para estirarla a tres. (Más más adelante.)

Ahora el veterinario dejó su memoria para consultar

sus libros y fue por una rara casualidad—o tal vez por una casualidad más de las habituales en Offenbach—que Offenbach vino a ser castrado el mismo día que había nacido un año antes. Como se ve, demasiadas casualidades para ser casuales.

Como antes, mejor que antes

La castración no afectó a Offenbach más que en su relación con las gatas. En sus relaciones con nosotros si acaso se hizo más afectuoso y mimado. Ahora bien, Offenbach nunca ha abandonado la casa. Excepto por dos veces que se cayó de una ventana trasera abierta al verano al patio de abajo, lo que nos hizo recorrer todos los patios de la vecindad hasta acceder al patio indicado y encontrarlo más aterrado que aventurero.

Offenbach y los gatos

Offenbach jamás ha conocido la relación con otro gato y siempre se ha negado a reconocerse como tal: él se cree de veras un ser humano y, aunque esta creencia es siempre fatal para los animales, su comportamiento es tan humano que Miriam Gómez lo llamó un día «un gato animado», recordando los gatos de Walt Disney et al.

Una vez un pintor amigo nos hizo atravesar todo Londres hasta Hampstead para que Offenbach conociera su gata siamesa, Zuzu. Todo iba bien por el camino (Offenbach no teme subir a un auto, solamente subir a un taxi, recordando tal vez que éste es el vehículo en que lo llevamos al veterinario, donde siempre ha sufrido heridas y pinchazos), pero, no bien llegamos a la casa, se engrifó, comenzó a escupir y se quedó aterrado en un rincón. Ver a la gata para él fue como para nosotros ver el demonio encarnado. Al regreso a la casa, Offenbach vomitó y defecó en el pasillo, como para demostrarnos físicamente su malestar espiritual.

A veces Offenbach añora las aventuras de los gatos que se ven por la ventana que da al patio, pero es una añoranza lejana, como si esos gatos fuean héroes de leyendas borrosas.

Un día ocurrió la confrontación inevitable. Compramos un espejo, que vino cuidadosamente envuelto. Curioso como todos los gatos, Offenbach quiso ver lo que contenía el paquete. Desempaquetamos, pues, el espejo que quedaba apoyado en el suelo a su altura y, no bien se vio, quedó fascinado con el espejo, tanto que le dio la vuelta, buscando su imagen que desaparecía en los bordes. Finalmente se enfermó ese día: tal vez acababa de reconocerse como gato. Lo cierto es que el espejo, que está a un extremo del pasillo, a la altura humana, aparece a menudo manchado en su parte inferior, con huellas que parecen de una nariz húmeda o de un lengüetazo. ¿Se habrá enamorado Offenbach, otro Narciso, de su imagen del espejo?

El tercer gato

El tercer encuentro de Offenbach con otro gato ocurrió un día que se apareció en la vecindad (el barrio está

116

poblado por las más variadas especies gatunas) un gatico negro y joven, al que pusimos por nombre Blackie. Blackie era el gato más inteligente que hemos conocido y dio prueba de ello de una manera decisiva.

Blackie había visto a Offenbach sentado en mi mesa-escritorio y pegado a la ventana trasera, y ya desde abajo le intrigó este gato blanco y distante. Pronto atravesó todos los patios aledaños, salió a la calle de al lado, dio la vuelta a media manzana, seleccionó nuestra puerta entre tantas otras en la cuadra y vino a pararse en la ventana delantera, sentado en el poyo. (¡Este periplo de Blackie es solamente comparable al de un ser humano entrando en un laberinto y encontrando la salida ipso facto!)

Hicimos entrar a Blackie, el pobre, tan amistoso como era, pero Offenbach lo rechazó violentamente y por primera y única vez en su vida atacó a Miriam Gómez que lo tenía cargado. Desde entonces, para dejar entrar a Blackie en la casa y darle de comer, había que encerrar a Offenbach en un cuarto primero.

Desgraciadamente, los días de Blackie en este mundo fueron pocos. Adoptado por una vecina, quien le había comprado un collar contra las pulgas, amaneció un día muerto, atropellado por un auto la madrugada anterior.

Aspecto de

La primera impresión que causa Offenbach es la de ser un gato extraño. Inmediatamente esta impresión es sustituida por la apreciación de su extraordinaria belleza.

117

Largo y flaco, Offenbach tiene una cabeza pequeña y triangular y dominada por sus grandes ojos azules, hechos aun más azules por las manchas color lila que tiene en las orejas y el hocico. El resto del cuerpo es delgado y fuerte con una piel de raros tonos beige o, a veces, rosa pálido, que se vuelve morada en el rabo largo. Pero muchos días Offenbach amanece nevado y todo ese día es un gato color de hielo. Otras veces su tono beige se hace más oscuro y se vuelve como de caramelo, de algodón de azúcar fresa, de chocolate con leche, variando de hora en hora.

Offenbach es sumamente afectado y consciente de la tremenda impresión que produce su primera aparición. Así, camina poniendo una pata delantera delante de la otra, para parecerse a Marlene Dietrich en sus mejores tiempos, mientras la parte trasera de su cuerpo se mueve con el ritmo de un pugilista o de un *cowboy* del cine. Esta aparición hermafrodita causa asombro en quienes lo ven por vez primera y no han visto todavía su trote de tigre o su andar cauteloso de pantera en acecho, mientras embosca a su juguete preferido: una tapa de corcho o una bolita de papel. (Aquí habría que hablar de los juguetes de Offenbach, de cómo ha rechazado ratones de plástico animados para volver a sus viejos corchos o cómo, de un solo viaje, destroza un león de peluche y se lo come—de hecho se tragó medio león un día y estuvimos una semana esperando su muerte inminente, pero echó la mitad del león como se la había comido, con su centro de alambre saliente pero sin lastimarlo, milagrosamente.)

Offenbach y las hierofanías

Offenbach tiene un lugar reservado en la cocina para su comida, en un plato doble de plástico amarillo, colocado sobre un doyle de goma. Allí está también su platillo para la leche, un jarro con agua y, a veces, su vasija para las vitaminas B de adulto, que devora de tres en tres cada mañana.

Miriam Gómez, por su parte, ha colocado sobre mi buró una hierofanía: una copa de agua para los muertos de la familia, especialmente para mi madre. Desde el primer día que Offenbach la vio, decidió que la copa de agua era para él beber y dejó de beber en el jarro que tiene en su rincón para venir a saciar la sed encima de mi mesa de trabajo. Desde entonces se le incorporó al ritual y no es raro ver a Offenbach venir y beber sobre mi mesa mientras escribo. No hay mejor compañía para la soledad del escritor de larga distancia.

El lenguaje de

Offenbach se comunica con nosotros con algo más que maullidos. Su repertorio de sonidos forma un lenguaje peculiar al que el oído adiestrado busca y encuentra significados.

Brrr es un ronroneo de placer y de contento.

Burrr es el ronroneo alargado hasta una forma de protesta: no hay que seguir acariciándolo, o se le debe acariciar en otra parte del cuerpo.

Miau es el saludo de por la mañana, una especie de buenos días que Offenbach nunca deja de dar.

119

Miauuu es para pedir algo: desde la comida hasta que se le abra una ventana y sentir el olor del jardín.

Miuu es siempre una advertencia: significa que él está presente y por tanto se le puede pisar o, lo que es peor, pasar por alto.

Miu es un simple saludo a cualquier hora del día.

Miawou es el saludo a quienes regresan a la casa. Es también una forma de queja: ha estado demasiado tiempo solo.

Mia miau es una exigencia: la comida que se retrasa o alguien que no quiere cargarlo o cederle un asiento.

Miau simple pero seguido o precedido por un bostezo, es soberano aburrimiento: no hay que olvidar que Offenbach es un pura sangre y toda actitud en él es francamente soberana: no pide, exige.

Miaorru es cuando quiere jugar.

Rorroua es siempre un rugido: atavismo de la selva o rezagos del macho que todavía hay en él.

Hay muchas más entonaciones del maullido, pero se quedan para otro tratado: el lenguaje animal al nivel humano.

Otras voces, otros hábitos

Offenbach tiene un más amplio registro de voces, es solamente mi pobre transcripción que la limita.

Offenbach es tuerto. Es decir, no tiene visión—y con todo es imperfecta—más que en un ojo. Este defecto lo ha hecho, entre otras cosas, adoptar la costumbre de saludar, a quien llega a la casa por primera vez o después de mucho tiempo de no venir, subiéndose al regazo del visitante y acercando su nariz hasta la nariz del recién llegado. Es una forma especial de su saludo, pero pocos saben comprenderla.

Otro hábito de Offenbach es hacerse el centro de atención. Así en una reunión él busca siempre la sección de oro del grupo y allí, donde convergen todas las líneas de atención, se sienta él, adoptando a veces la pose de la «gallina empollando», que es sentarse con todas las patas debajo del cuerpo y hacerse una compacta bola de pelos. Otra manera de atraer la atención cuando ésta es monopolizada por un periódico, por ejemplo, es venir a sentarse precisamente sobre la noticia que está uno leyendo. Cómo consigue tal precisión, es uno de sus misterios. Otro misterio suyo es saber, como él lo sabe, quién viene a la casa. Aunque vivimos en la planta baja de un edificio de cuatro pisos, donde entra y sale mucha gente, Offenbach sabe siempre cuándo es Miriam Gómez o Carolita, por ejemplo, quienes vienen, y aunque ha estado semidormido hasta ahora va corriendo a la puerta del apartamento a saludar a quien llega. Este alarde de presciencia se hace particularmente agudo cuando se acercan las cuatro de la tarde, hora de la comida. Entonces Offenbach espera el regreso de Carolita de la escuela o acosa a Miriam Gómez por toda la casa para obtener su cena rápidamente.

Siempre se acerca él a la puerta a saludar a quien llega, después que la puerta se ha abierto—excepto cuando se trata del limpiador de ventanas, de quien corre a esconderse debajo de la cama, reptando hasta ocultarse del todo y sin salir de allí hasta que se va el limpiaventanas. ¿Qué ocurrió entre Offenbach y el limpiador de ventanas? Nadie lo sabe. Este misterio se hace más espeso cuando digo que antes eran dos los limpia-ventanas y llegaban con su escalera ambulante especial y terminada en punta. Pensamos que tal vez Offenbach le tenía miedo a esta escalera extraña, tan diferente a la escalera propia, donde él se sube el primero cuando la abrimos por cualquier motivo. Pero luego vinieron otros limpiadores sin escalera, y su miedo era igualmente pánico. Ahora es otra persona el limpia-ventanas, un muchacho como de unos veinticinco años: a él también le tiene terror Offenbach. Quizás un día desvelemos el espeso misterio: ¿trauma infantil?, ¿atavismo?, ¿reacción pavloviana? Tal vez ni Pavlov, ni Freud, ni siquiera Lorenz, puedan explicar este comportamiento: Offenbach nos tiene acostumbrados a más de una muestra de conducta desusada en un gato. He aquí unas pocas.

Cuando alguien llega a la casa de visita y se queda solo en una habitación, Offenbach nunca se va de allí hasta que volvemos a la reunión. Nosotros bromeamos que es él nuestro gato-policía, pero hay más que una broma en su comportamiento. Como hay más que una broma en su costumbre de no dejarme trabajar tarde en la noche, como yo acostumbraba, y el hábito gemelo de despertarme con un maullido particular a las nueve cada mañana. O su extraordinaria habilidad para abrir puertas. O su peculiar sentido del humor. Sabido es que los gatos son animales sin humor, que se toman terriblemente en serio y que no soportan, como los perros, las bromas. Offenbach no es menos gato que los demás a este respecto, lo que sí es curioso es verlo gastándonos bromas. Para mí él tiene reservada una particularmente apropiada. Cada tarde, después del almuerzo, yo me siento a leer los periódicos y revistas en una silla en la sala. Ésta es mi silla. Todos lo saben, incluso Offenbach. Pero en sus días jocosos no es raro verlo correr hacia la silla en cuanto me ve terminar de almorzar y encaminarme hacia ella para sentarse antes que yo. Su broma se continúa por su completa posesión del mueble, agarrado a sus travesaños como un náufrago a una balsa. Si intento levantarlo tendría que levantar la silla junto con Offenbach. La broma culmina siempre con la llegada providencial de Miriam Gómez que me conmina por todos los medios a dejar a Offenbach ocupar mi lugar: su diversión favorita.

Otra costumbre favorita de Offenbach es ocupar mi silla de trabajo. Ésta queda trabada debajo de la mesa de manera que más parece una gaveta que una silla: muchas veces cuando yo vengo a trabajar me encuentro la «gaveta» ocupada. Tengo entonces que cargar a Offenbach como si fuera un niño y depositarlo junto a la calefacción y debajo de mi mesa y además convencerlo con palabras *ad hoc* de que no debe irse: nadie comprende, hasta que tiene uno, la extrema susceptibilidad de los gatos.

Offenbach hace una tercera comida al día: ésta es la comida compartida con nosotros su familia. Pocos minutos antes de la hora de la cena él se sube a la mesa y sentado hierático espera a que se sirva la comida. Casi nunca dice nada, excepto por un leve bostezo de aburrimiento cuando a veces la comida tarda demasiado. Cuando la mesa está servida, él mira sentado uno a uno a los comensales, todavía esperando. Offenbach espera ser alimentado de lo que comamos nosotros y, aunque rechaza toda carne que no sea conejo en su comida de por la tarde y pescado en la de por la mañana, él acepta comer de lo que comamos: pollo, carne de vaca, ternera, cordero, puerco, etc., etc. Muchas veces ha llegado a comer de la salsa preparada por Miriam Gómez y otras veces ha comido hasta papa y arroz, para desmentir a los que creen que los gatos no pueden ser vegetarianos: Offenbach, en la mesa, se muestra omnívoro. Es más, su amor por la comida compartida lo ha llevado hasta comer de nuestros postres: una hazaña increíble para todos los que saben que los gatos detestan el dulce, ya que sus papilas gustativas rechazan el sabor dulce tanto como las nuestras rechazan el sabor amargo. A veces, cuando la comida es totalmente vegetariana, Miriam Gómez le prepara a Offenbach un platillo con crema de leche, que él bebe sobre la mesa. Siempre que prueba de nuestra comida, va de comensal en comensal pidiendo silencioso, sin jamás mendigar, como haría un perro. Cuando ha probado de todos los platos, se baja de la mesa tan silencioso y rápido como subió a ella. Lo más curioso es saber que Offenbach sube a la mesa solamente por las tardes, ya que al mediodía siempre almorzamos ligero: una sopa, un sandwich, una tortilla: comidas todas que no tienen el menor interés para él. Su momento malo en la mesa llega cuando tenemos visita a comer: hay que encerrarlo en un cuarto hasta que esté terminada la cena. Es entonces que sale y se refugia en cualquier rincón, lejos de los seres humanos que lo han ofendido relegándolo a su ostracismo.

Offenbach y el universo

Alguien me preguntaba una vez cómo había afectado mi vida la llegada de Offenbach. Dije o creo que dije que

124

mi vida se podía dividir en antes y después de Offenbach. Lo mismo ocurre con la llegada de mi mujer, Miriam Gómez, a mi vida, o de mis hijas. Pero estos últimos son cambios previsibles. El cambio con la llegada de Offenbach fue totalmente inesperado: yo estaba dispuesto a tolerar un gato en la casa, pero nunca imaginé una asociación tan intensa como la que hemos trabado Offenbach y yo. Mi amor por esas doce libras de pelo, garras y ojos azules llega a dividir los visitantes a mi casa en dos categorías: los que admiran y los que desdeñan, aunque sea levemente, a Offenbach. Los primeros se convierten ipso facto en amigos a pesar de que su incidencia sea tan mínima como la de un técnico desconocido que viene a arreglar la televisión. Los segundos pasan a ser cuestionados enseguida—aun después de años de amistad intensa. Para mí el mundo se ha dividido en dos clases de personas: las que aman a los gatos y las otras. Las otras personas no saben lo que se pierden con no tener relaciones con un gato. A estas últimas les recomiendo adoptar un gato desde ya y, de ser posible, adoptar un siamés, que son a los gatos lo que los perros satos a los otros: los que más dan pidiendo menos.

A través de Offenbach he podido entender el mundo animal de nuevo, que estaba vedado para mí desde que me hice adulto y los problemas humanos vinieron a abrumarme y a hacerme olvidar la sencilla vida animal, sus ciclos vitales y su ausencia de agonía: lo contrario de la agónica vida del único animal que sabe que se muere.

Offenbach es un animal feliz: sus exigencias son bien pocas y, aparte de una comida en la mañana y otra al final de la tarde, no exige otra cosa que lo que él mismo da a granel: cariño, una mano pasada por la cabeza y el lomo, una cepillada ocasional: atención. Pero a pesar de su humanización y de su reclusión hogareña, la vida de Offenbach está atemperada a los ciclos animales y universales: él y el cosmos son la misma cosa, y el gran abismo creado por la conciencia humana es franqueado por Offenbach todos los días con una sencillez admirable: el estoicismo animal es tan natural como la respiración.

¿Todo Offenbach?

Releo lo escrito hasta aquí y me abruma su inanidad: la incapacidad de mi escritura para atrapar la esencia de lo que es Offenbach. Quizás algunas anécdotas puedan si no llenar por lo menos rodear ese vacío.

Un día Néstor Almendros vino a Londres y, como estaban los hoteles llenos, se quedó a dormir en casa. A medianoche se despertó soñando que lo devoraba un tigre—y al despertar de la pesadilla se encontró con la cabeza de Offenbach que, sentado sobre su pecho, lo miraba dormir.

A Offenbach le gustan las escaleras, recuerdos tal vez de sus antepasados en las selvas siamesas. No hay para él mayor placer que Miriam Gómez saque la escalera de mano para alcanzar algún objeto del desván: en cuanto la abre, allí está Offenbach, salido de la nada, subiendo el primero los escalones como un trapecista ebrio.

Offenbach tiene un colmillo partido. Esto le ocurrió al tener un accidente de caza con una ventana: velaba

126

allí unas palomas a las que Miriam Gómez había echado comida en el poyo y, después de muchos asedios y emboscadas, saltó Offenbach sobre la imagen de la paloma más cercana a través del cristal límpido, contra el que dio de boca, partiéndose un colmillo. Desde entonces se le conoce en la casa como el Jefe Colmillo Frágil.

La curiosidad de Offenbach no tiene límites animales: basta que alguno de nosotros se pare frente a las ventanas que dan a la calle, para ver a Offenbach, detrás y abajo, tratando de mirar lo que miramos por todos los medios, llegando a maullar para que lo carguen o a subirse sobre el televisor y alargando el cuello mirar él también lo que miramos.

Un día llegó a la casa la bella G. Ch., de visita breve, y Offenbach, tal vez reconociéndola, extremó su caminado a la Dietrich para emerger de la sala al estudio y para flechar para siempre a la visita: lo mismo hace con cada visitante receptivo a los gatos.

Ver lavarse a Offenbach es una muestra de elegancia suma. A veces adopta poses tan desusadas—una pata trasera extendida y agarrada por las dos patas delanteras, mientras con la otra pata debajo de sí guarda un equilibrio tan precario como elegante. Verlo es creer que él sabe que ofrece un espectáculo inusitado: la pose natural imposible de alcanzar por el ser humano más afectado.

Ver comer a Offenbach o tomar agua es otro deleite: no puede haber mayor finura en actos tan animales. Su lengua sube y baja desde el agua con una regularidad metronómica, y, al comer, muerde gentilmente la carne y la engulle poco a poco, apenas masticada por sus débiles dientes.

127

Offenbach es un espectáculo digno de verse hasta durmiendo, sobre todo dormido. Los días de sol él se regala con la luz y el calor, estirando una pata hacia delante mientras coloca sobre ella la cabeza a manera de almohada. Los días fríos se recoge como una gallina empollando junto a uno de los radiadores, convirtiéndose en una verdadera bola de pelos, nada más que la cabeza saliendo de entre su abrigo natural. Otras veces coge de almohada los más disímiles objetos: el cable del teléfono, la pata de un radiador, el suelo mismo, mientras su cuerpo descansa sobre un cojín. Otras veces..., pero basta.

¿Es esto todo Offenbach? No: ni siquiera he comenzado.

128

FORMAS DE POESÍA POPULAR

Canciones cubanas

Durante años planeé escribir un ensayo sobre la letra de las canciones cubanas, una forma de poesía viva entonces porque estaba en los labios y oídos de miles de personas al mismo tiempo y muchos cubanos (la mayoría de ellos, es cierto, cubanas) se reconocían en estos versos sencillos [1] más que en los de José Martí, siempre de obligatoria enseñanza y obligado aprendizaje en las escuelas, públicas y privadas.[2]

La repetición *ad infinitum* de estas canciones impedía a muchos conmoverse con su ternura, saborear su sensualidad simple y disfrutar su humor, que a menudo era asombrosamente complejo:

> *¡Qué ganas tengo de que la luna se case,*
> *Facundo trabaje*
> *y a Carmelo le tapen el hoyo*
> *que tiene en el cielo por donde mirar!*

1. Siempre me interesó más la poesía popular que cualquiera otra de sus formas cultas: para mí el poeta chileno a citar no es Neruda ni es Nicanor Parra, sino Lucho Gatica. Por supuesto que Lucho Gatica no es el compositor de los boleros que canta, pero ¿no descansa toda la tradición literaria de Occidente en atribuir su primer poema, su primera novela y la fuente original de todo su teatro al seguro cantor y no al posible autor de la *Ilíada* y la *Odisea*?

2. Esto fue verdad hasta el ingreso de Martí en el panteón popular al proveer la letra de «La Guantanamera», ¡*circa* 1962! Lo que tiende, por supuesto, a probar mi punto.

El tono paródico, o mejor, la expresa parodia del género y la queja de la repetición *ad nauseam* de unas pocas tonadas, son el pretexto de este poema *nonsense* criollo. Otras veces la protesta contra situaciones domésticas cotidianas alcanza una expresión dialéctica que parece curiosamente hegeliana:

> *María Cristina me quiere gobernar*
> *y yo le sigo, le sigo la corriente*
> *porque no quiero que diga la gente*
> *que María Cristina me quiere gobernar.*

Muchas veces encontré gente en Cuba que respondía a las más diversas situaciones cantando canciones cuya letra venía aptamente al caso o criticaba el momento con una salida irónica o absurda. La canción había ocupado el lugar de los manidos refranes o de los pretenciosos proverbios latinos o su igualmente petulantes imitaciones españolas o nativas.

Un día, oyendo el único disco de Fredy, cancionera negra a quien conocí más o menos bien, me detuve a pensar en la curiosa dicotomía de la perfecta dicción de cantantes negros y mulatos que en la conversación diaria hablan, como cada cubano, eliminando consonantes, agrupando vocales y uniendo las palabras en impaciente tropel, no pocas veces ininteligible como discurso al oído extranjero. Distinguiendo claramente las eses, las eres y las des en las palabras cantadas por Olga Guillot o por Beny Moré, voces disímiles a las que sólo unía la nacionalidad de su dueño, comprendí el porqué de esta excesiva preocupación con la enunciación perfecta: el objetivo de la canción, más allá del mensaje melódico, era hacer llegar su contenido poético, nítido y expreso, al mayor número de oyentes posibles.[3] El milagro es que no hay en sus estilos ninguna afectación. La explicación es que se trataba de la continuidad de una tradición, tan espontánea por popular como la erre marcada y rodada de los *chanteurs* franceses:

J'ne rrregrrrette rrrrrien.

Catulo, en su *Passer, deliciae meae puellae,* cantó al gorrión de Lesbia con acentos tan leves que, si no originaron toda la poesía ligera de Occidente (la poesía ligera sin duda antecedió a la épica y, naturalmente, es anterior en siglos a cualquier forma de poesía escrita), al menos le dieron un impulso duradero, tanto que todavía se sienten en muchas canciones populares:

Tecum ludere sicut ipsa possem
Et tristis animi levare curas!

(«así quisiera yo jugar contigo
para echar mis penas al olvido»)

Éste podría ser un verso de cualquiera de los poetas populares posteriores a Gustavo Adolfo Bécquer—o

3. Una declaración al *Times* de Tina Turner, cantante de *blues* y de *rock* (ejercicio que es casi una redundancia, ya que el nombre original del *rock'n'roll*, antes de que fuera sustituido por esta etiqueta obscena, fue *rhythm and blues*), es pertinente, más que nada porque los cantantes cubanos y los músicos negros norteamericanos tienen en común mucho más que el aparente idéntico origen racial de sus formas de expresión. Se hablaba de la sinceridad de Tina y ella la explicaba así: «Trato de decir y digo la historia en la canción. Quizás tú no atiendas a la letra, pero yo quiero que por lo menos la conozcas».

la letra de un bolero.[4] Las dos canciones citadas al inicio corresponden por su ritmo y rima a otro género musical cubano, la guaracha. Su autor es ese genio literario a quien la popularidad no ha permitido, como tantas veces, su reconocimiento crítico. Hasta su nombre, mezcla de cariñoso mote familiar y apodo público, es una obra maestra del humor cubano: Ñico Saquito. He aquí otras muestras de poesía popular seguidas o precedidas de etiquetas:

el presente amenazador:

¡Yo vengo soltando chispas!
¡Yo vengo echando candela!
¡Yo soy como la avispa
que cuando pica envenena!

Píntame de colores
pa que me llamen : necesidades nietzscheanas
Supermán

rima de ocasión:

Pin pin
cayó Berlín.
Pon pon
cayó Japón

4. Esta forma de poesía popular, pese a su nombre, se originó en Cuba y es típicamente urbana, probablemente iniciada en La Habana. La forma literaria (mucho más que la música: originado formalmente en la habanera, el bolero cubano tiene muy poco que ver con el ritmo español del mismo nombre) viene del movimiento modernista y de la imitación de ciertos poetas cursis pero extrañamente certeros cuando se trata de tocar el corazón del pueblo que los recibe, acoge y preserva en la anónima posteridad del folklore. Cf. Amado Nervo, Juan de Dios Peza y José Ángel Buesa y todos los seguidores populares del Neruda de *Veinte poemas de amor* (¡y una canción desesperada!).

132

Cámbialo en kilos prietos [5]
pa que te dure   : auxilio al ahorro

Un invento ha ocurrido
que va el mundo a acabar.
Desintegrar fácil es,
difícil es agrupar.   : otra casandra atómica
Se acaba el mundo,
se acaba ya!

                                Doctor,
                                ¡mañana no me saca
                                usted esa muela
la droga buena para el   *aunque me muera*
diente/no para el   *de dolor!*
dentista ni el cliente: *Porque me dicen*
                                que anoche lo vieron
                                con un tremendo bacilón,
                                doctor.

A Prado y Neptuno
iba una chiquita
que todos los hombres
la tenían que mirar: : del voyeurismo considera-
era graciosita,   do como un arte
muy bien formadita
—en resumen, ¡colosal!

                                ¿Dónde está la Ma teodora?
danza, sexo y trabajo: *¡Rajando la leña está!*
en Cuba todo es relajo: *¿Con su arpa y su bandola?*
                                ¡Rajando la leña está!

5.   No se trata de un escaso kilogramo o de un oscuro jugo gástrico sino del equivalente cubano del *cent* de EE.UU. o del penique inglés: monedas ínfimas de cobre.

Como curiosidad hay que añadir que, de los tres últimos ejemplos, el penúltimo y el antepenúltimo pertenecen a los años 1950 y el último es de ¡*circa* 1550! Los cuatro siglos que median entre estas formas folklóricas afrocubanas están cuajados del humor erótico que caracteriza al arte negro en toda América. Muchas de estas letras de canciones han usado las rimas y corros infantiles como vasos comunicantes, y una vez en Alto Songo oí cantar la copla hispano-francesa «Mambrú se fue a la guerra», de esta manera:

> *Membrú se fue de fiesta.*
> *¡Qué sabor! ¡Qué sabor!*
> *¡Qué cosa más buena!*

Alto Songo, como su nombre lo indica, es una aldea alta en la provincia de Oriente cubana cuya población es toda de origen africano: no es extraño que el legendario duque de Marlborough, con su *stiff upper lip* inglés, terminara convertido en un relajado y *membrudo* afrocubano! A la inversa, muchas tonadas tribales africanas se han transformado en rimas de corro.

Las rimas infantiles

El genio de la lengua inglesa en las *Nursery rhymes* prefigura no sólo la forma del *limerick,* ese modo de poesía popular inglesa, sino que anticipa muchos de los temas de la poesía *nonsense* de los *limericks* y de las rimas de Carroll. He aquí una rima infantil inglesa:

> *Tres niños patinan en el hielo*
> *en un día ya mediado el verano*

Ésta es la versión de Lewis Carroll, apolismada un poco por mi traducción:

> *El sol brillaba en el mar*
> *Brillaba hasta más no dar...*
> *Cosa rara tanto derroche*
> *De luz: era ya medianoche*

Por su parte un verso vernáculo cubano recuerda a Carroll y a la *nursery rhyme*:

> *Cuatro ruedas tiene un coche*
> *con mucha melancolía:*
> *la luna sale de noche*
> *y el sol siempre sale de día.*

Como en el *limerick,* la fuerza de la rima obliga al anónimo cubano a incipientes ejercicios de absurdo o de asociación sorpresiva—en todo caso aparentes. Se trata en realidad de esa vieja conocida de las *Nursery rhymes*, de Carroll y de toda la poesía popular anglosajona: la proposición evidente en sí misma.

> *There was an Old Woman*
> *Liv'd under a Hill*
> *And if she isn't gone*
> *She lives there still.*

La traducción no alcanza a explicar más que la redundante autoevidencia del verso: «Había una vez una vieja / Que vivía bajo una loma / Y si no se ha ido / Aún debe vivir allí». Se pierden la poesía ingenua

135

y arcaica [6] y el doble uso del participio *gone,* que significa no sólo ido sino también muerto. Mucho del humor moderno, de Jarry a Donald Barthelme depende de este uso explícito de las proposiciones aristotélicas —o de su subversión lógica:

> El hecho demuestra que siempre que llaman a la puerta no hay nadie.
>
> *La soprano calva*

Pero esta expresión paradójica es moderna solamente si el concepto de modernidad se extiende de Ionesco a Lewis Carroll, quien en una carta a una de sus amigas (íntimas) inglesas (de 10 a 16 años: por favor, no olvidar la tilde) decía:

> ¡Y algunos días amanezco tan cansado que me acuesto *antes* de levantarme!

Carroll, profesor de matemáticas y autor de tratados de lógica simbólica, es uno de los primeros destructores de los conceptos lógicos clásicos—muchas veces a pesar suyo:

> Favor de analizar lógicamente—escribió Carroll en una carta a su hermana—el siguiente razonamiento: NIÑITA: «Soy feliz porque no me gustan los espárragos». AMIGUITO: «¿Por qué, querida?» NIÑITA: «Porque si me gustaran tendría que comerlos y ¡y detesto los espárragos!»

---

6. Muchas de estas coplas, como lo indica a veces la rima, fueron compuestas en fecha tan lejana como los siglos XIII y XIV.

Si los axiomas paradójicos—iba a escribir, no sin justicia, paródicos—de Ionesco, como aquel que asocia la moral con la geometría,

> BOMBERO: Tomad una circunferencia, acariciadla y tendréis un círculo vicioso.

tienen su antecedente directo en el ciclo de *Ubú*:

> ACRAS: Y es también cierto que los poliedros regulares son de lo más fieles y cariñosos con su amo. Excepto que esta mañana el Icosaedro se puso un poco descarado y me vi obligado, para que vea, a darle una bofetada en cada una de sus veinte caras.

y muchas de las digresiones científicas de Jarry podían a su vez ser firmadas por Carroll (como cuando aquél aconseja que para construir una buena máquina del tiempo su armazón «debe ser absolutamente rígida o, en otras palabras, absolutamente elástica»), ni Ionesco ni Jarry ni ese otro maestro del absurdo, Alphonse Allais, pueden reclamar, como lo hace Carroll, toda una tradición popular tan viva que sus rimas infantiles son incorporadas a los más complicados juegos de lógica irracional casi sin alteración ni acomodo.

> *The Queen of Hearts, she made some tarts*
> *All on a summer day:*
> *The Knave of Hearts, he stole those tarts*
> *And took them quite away!*

dice Carroll en *Alice in Wonderland*. El original folklórico es apenas diferente:

137

> *The Queen of Hearts*
> *She made some tarts*
> *All on a summer's day;*
> *The Knave of Hearts*
> *He stole the tarts*
> *And took them clean away.*

> («La Reina de Espadas
> Hizo empanadas
> Un lindo día de verano;
> Las hizo en vano:
> El As de Corazones
> Se las llevó a montones».)

Pero, según Carroll no sólo se olvida de analizar lógicamente las paradojas y las inversiones de los libros de *Alicia* (a los que el marco del sueño propicia *otra* lógica, irracional pero coherente) y, sobre todo, sus digresiones, apariciones y visiones fantásticas en *Sylvie and Bruno*—libro menos logrado que las sucesivas *Alicias* pero infinitamente más inventivo—después de la caída dentro del pozo, las *Nursery rhymes* se hacen más atrevidas a medida que dejan detrás la doble gravedad social y lógica. A veces sus invenciones son meramente gramaticales—o más bien ortográficas:

> *King Charles walked and talked*
> *Seven years after his head was cut off.*

El ingenio de esta adivinanza simple está en que la respuesta depende nada más que de la colocación correcta de un punto y una coma: el sentido está en los signos:

King Charles walked and talked.
Seven years after, his head was cut off.[7]

Otras veces, la gramática aparentemente ilógica da
paso a visiones fantásticas que no tienen equivalente en
el folklore infantil de Europa occidental, como lo muestra esta vieja rima llena de imágenes que reducen a Ma-
gritte al papel de mero ilustrador:

I saw a fishpond all on fire
I saw a house bow to a squire
I saw a parson twelve feet high
I saw a cottage near the sky
I saw a balloon made of lead
I saw a coffin drop down dead
I saw two sparrows run a race
I saw two horses making lace
I saw a girl just like a cat
I saw a kitten wear a hat
I saw a man who saw those too
And said though strange they all were true.

7.   Como el español depende de las preposiciones donde el inglés
es soberanamente independiente, la traducción es unívoca: «*El rey
Carlos caminaba y hablaba / Siete años después (de que) su cabeza fue
cortada*». Un buen equivalente español aparece al final de *Los inte-
reses creados*, una de las pocas comedias realmente ingeniosas que se
han escrito en español en este siglo. Previsiblemente, no creó imita-
dores y hubo que esperar casi cincuenta años para encontrar su des-
cendencia en *El caso de la mujer asesinadita*. Mientras que el mal
Benavente de *La malquerida* engendró las pésimas tragedias lorquia-
nas y llenó el teatro español de malaventes y sartres y desastres en la
casona en ruinas.

(«Vi un estanque ardiendo en llamas
Vi una vaca saludando a varias damas
Vi un sacristán de doce pies de estatura
Vi una cabaña levantada en la altura
Vi un globo hecho de puro plomo
Vi un ataúd cayendo muerto, como
Vi dos gorriones echando carrera
Vi dos caballos bordando en madera
Vi una muchacha que parecía un gato
Vi un minino poniéndose un zapato
Vi a un hombre que vio todo esto
Y dijo qu'era estraño pero ciesto».)

En la traducción no he podido evitar introducir, al
final, esa variante que no es más que una forma de pronunciación popular en ciertos barrios de La Habana.
Así oí una vez a una cocinera decir que iba un momento a la *casnicería,* a un conductor de tranvía exclamar
que estaba *muesto* de *cansansio* y a una muchacha que
quería *acabás e llegás ar pasque de los mástiles*—colmo,
este último, que no se refería a un cartel hecho con
palos de mesana como meta, sino a un centro de reunión
de enamorados en La Habana Vieja, conocido también
como Parque de Los Mártires. El folklore no a las flores
sino a su fuente: el pueblo.

Todos estos versos han sido recogidos en *Mother
Goose,*[8] que es el nombre que se dio en Estados Unidos, desde el siglo pasado, a las *Nursery rhymes* impor-
tadas o domésticas. Otros versos, otras versiones han

8. Tanto a neófitos como a iniciados recomiendo el disco *Mother
Goose* (Wing-Philips WL 1180), en el que Celeste Holm y el difunto
y ya inmortal Boris Karloff animan estas rimas como nadie antes y
como, tal vez, nadie después.

ido a parar a esta famosa compilación, saqueada en múltiples ocasiones no sólo por Lewis Carroll—que tomó de aquí muchas de sus situaciones, paradojas y personajes, entre ellos Humpty Dumpty, al que hizo famoso— [9] sino por los buscadores de citas citables, los cazadores de exordios y los escritores de epitafios—sin contar autores policiales.[10]

Los «limericks»

También de las *Rhymes* surgió (o se recogió primero, ya que las *Nursery rhymes* son una compilación) ese género de poesía popular que tiene una forma rígida y un nombre preciso y cuyos engendros son a la vez regios y preciosos. Hablo, naturalmente, del *limerick.*

9. Quien, siguiendo su axioma de que las palabras dicen lo que quiere su amo momentáneo, estará diciendo ahora desde el otro lado del muro: «Ah bueno. ¡Ya pueden escribir semejantes cosas en un *libro*!»

10. Por lo menos dos obras maestras de la novela policial basan su trama en las *Rhymes*: *Los crímenes del obispo,* de S. S. Van Dine (que sigue la rima «Who killed Cock Robin?» para construir su trama) y *And then there were none,* de Agatha Christie, quien no sólo usa la rima de «Ten little Niggers», sino saca el título de ella. También la película basada en la novela, conocida indistintamente como *And then there were none* o, desplazando las posibles connotaciones racistas, *Ten little Indians.* Muchos títulos de películas y novelas han sido pedidos prestados a las *Rhymes.* Entre otros: *All the King's men, Three blind mice,* etc. No pocas canciones de éxito, como «Pussy cat, pussy cat» han puesto las *Rhymes* en disco, y, por supuesto, las primeras palabras grabadas por el hombre fue el verso que Edison—después de su histórico «Hello, hello, hello!», que inaugura la tradición de la persona puesta ante un micrófono para comunicar algo esencial que de pronto encuentra que ¡no tiene nada que decir!—recitó: «Mary had a little lamb...»

He aquí un ejemplo temprano, cuando todavía sustentaba el nombre genérico de *rhyme*:

A little fat man of Bombay
Was smoking one very hot day
A bird called a snipe
Flew away with his pipe
Which vexed the fat man of Bombay

(«Había un gordito allá en Bombay
Que fumaba hasta decir ya no hay.
Pero un ave llamada la esnipa
Arrancó a volar con su pipa.
Y se molesto el gordito en Bombay».)

El *limerick* tiene un origen folklórico. Hay quienes aseguran que viene de Irlanda, del condado de Limerick. Otros apuestan que vino de Francia, imitado del «On s'étonne ici que Caliste» citado por Boswell en su *Vida de Johnson*. El ejemplo más temprano, el llamado «Hickory Dickory Dock», posee una versión en francés. Pero su sentido sin sentido, su *nonsense* es típico de la tradición inglesa y de las *Nursery rhymes*. No hay que olvidar, por otra parte, que su máximo cultivador, sir Edward Lear, publicó su primera colección en el llamado *Libro del nonsense*. He aquí el *limerick* típico de Lear:

There was an Old Person of Rheims
Who was troubled with horible dreams;
So, to keep him awake,
They fed him on cake,
Which amused that Old Person of Rheims.

No voy siquiera a intentar la traducción esta vez. Solamente hay que llamar la atención sobre la forma—verso último que repite el primero—que es rígida en Lear, a pesar de su gran poder de invención. Hay otros *limericks* más libres pero a la vez siempre obscenos. Tanto, que Bernard Shaw apostaba que las colecciones de Edward Lear eran las únicas publicables.

Un ejemplo de *limerick* tópico publicable (más adelante trataremos de presentar algunos no publicables en épocas de Shaw). La traducción, libre pero menos libertina que el original, conserva el nombre que da base al verso y a la vez utiliza un recurso caro al *limerick*: la rima forzada por una variación cómica de un nombre propio—o el mismo nombre que obliga a una lectura ligeramente diferente a la de su ortografía (o sonido) original:

> *¿Te enteraste lo de Magda Lupescu?*
> *Dejó al rey de Rumania al frescu.*
> *La Lupescu es de ley.*
> *¿Qué te parece el rey?*
> *¿El rey Carol? Que Magda Lupescu.*

El inapreciable William Baring-Gould, autor del definitivo tratado del *limerick*, a quien este ensayo debe tanto, encuentra que este de arriba es uno de los pocos *limericks* presentables de los muchos que usan nombres más o menos respetables de la crónica social internacional. Hay otros en que la rima está dada por lady Astor, Eleanor Roosevelt, madame De Gaulle y Mrs. Aristóteles Sócrates Onassis, cuya obscenidad apenas vale la pena repetir. He aquí algunas variaciones, diversiones y digresiones de *limericks* contemporáneos:

Un político de apellido Castro
quiso ser del marxismo un astro.
        Y aunque lo quiso mucho, mucho,
        como Marx no llegó ni a Groucho.
Y acabó siendo un politicastro.

Otro tipo también Castro llamado
quiso ver a su hermano heredado:
        lo imitaba en el gesto
        porque deseaba su puesto.
        Le faltaba con qué:
        crecer más de un pie,
barba, voz y lo que le habían quitado.
Ya que era, más que Castro, castrado.

Un autor argentino provecto
tenía un record bastante funesto,
        porque algunas Alicias
        le hacían mil caricias,
¡y rara vez conseguían más que e

                                        s
                                         t
                                          o
                                          !

Una vieja llamada Inés Cuesta,
a resultas de una fuerte apuesta,
        consintió en tocar
        con su culo y pear
el concierto de Bartók para orquesta.

144

Una hermosa catira en Caracas
tenía un novio que sabía de maracas.
Pero él la engañó
y ella se ensañó:
dándole un puntapié en sus maracas.

Un gitano apodado El Baturro
tenía dos pelotas de hierro purro.
Y si él daba un saltito
tocaban el pasodoble «Gallito»
y daban luz a lo negro del curro.

Hija única de un empleado público,
tenía fama por su terreno púbico.
Le pidieron medirlo,
y ella al consentirlo
preguntó: «¿Calculo al cuadrado o en cúbico?»

El *limerick* gusta de destruir, a veces, la rima final, lo-
grando un efecto sorpresivo:

A un asiático vecino de un curro
molestaban los perros del curro.
En su desatino
fue a un galeno fino.
Pero le habló en chino.
«¿Le molestan?», dijo el médico. «Pues aféiteselos».

Pero la gracia viene dada siempre por la rima:

Una bella joven de Calcuta
por un chisme bebió la cicuta.

145

> El veneno apuró
> y enseguida murió.
> Ahora dicen que era pura, no puta.

Otras, usa (y abusa) de la semirrima:

> Un barítono que había en La Habana
> resbaló al pisar incauto su banana.
> Enfermó por seis meses
> y sufrió mil reveses,
> y ahora canta con voz de soprano.

Por supuesto, el inglés es ideal para la semirrima, no así el español, idioma rotundo. ¿Es ésta una de las razones por las que el *limerick* no tiene equivalente en nuestro idioma? Es posible. También es posible que la falta de empleo del sinsentido haga del español un idioma con el que hay que andar con *no nonsense*.

El «*clerihew*»

Al revés del *limerick*, el *clerihew* (que casi siempre se pronuncia *clérijiu*) no es un género folklórico, sino una forma de biografía sintética, encapsulada y en verso, inventada por Edmund Clerihew Bentley. El *clerihew* consta casi invariablemente de una cuarteta con dos coplas rimadas y su primer verso termina siempre con el nombre del biografiado:

> Después de comer, a Erasmo
> lo atacó un fuerte espasmo.
> Presa del dolor y en busca de cura,
> escribió la primera parte del «Elogio de la locura».

146

En este ejemplo traducido a medias, a medias transformado para conformar la rima (como ocurre en toda versión idiomática de la poesía cómica), se incluye otra característica del *clerihew*: el verso final que se extiende siempre fuera de medida para burlar el oído. La otra característica de esta forma de poesía popular—aparte de la irregularidad de sus acentos—es menos reconocible en español: la rima rara. Como en el *limerick*, parte del gozo pseudopoético viene de ver rimadas palabras como *than* y *Marathon*, *Aberystwyth* con *get grist with* o *Biloxi* y *Twentieth Century Foxi!*

No se debe confundir el *limerick* nunca con el *clerihew*, como no debe confundirse a un clérigo con un lego. No hay que atribuir a E. C. Bentley la invención del Bentley, sino a Rolls y a Royce, creadores de otras formas de poesía popular. ROLLS ROYCE, JOLLS JOYCE, TOLLSTOYCE, ROLLING AND ROYCING AT THE RITZ. ROLL AROUND THE ROYCE.

ONOMÁSTICA

¿Qué hay en un nombre?

En algunos hay una comicidad—cf. Charles Dickens—muchas veces impensada, creada por el azar de los nombres, como el de ese comisario cubano llamado Isidoro Malmierca, a quien tenía que venirle, de parte de su madre pero en realidad llovido del cielo (o, simplemente, de arriba), el complemento directo que es más bien una indirecta: Isidoro Malmierca y *Peoli*.

Otras veces la comicidad la producen unos padres demasiado «al día». Hubo un político cubano llamado—creo que en honor o a los esposos Curie o tal vez recordando esa invención ubicua, ululante, universal—*Radio* Cremata!

Todavía otras veces el nombre se une a una profesión—apropiada o desastrosamente. En La Habana había un otorrinolaringólogo llamado el doctor Garganta y un veterinario de apellido Pato. También había un famoso pediatra cuyo nombre pasó de ser prestigioso en Cuba al desprestigio emigrante. Se llamaba el doctor Carrión y al emigrar a Estados Unidos y traducirse su nombre se convirtió en carroña.

En ocasiones la conjunción, no de un nombre, sino de dos, produce extrañas combinaciones. Una famosa sociedad ferretera habanera estaba compuesta por dos nombres que solamente se unen en la risa: Feito y Cabezón.

149

En otras ocasiones los nombres extranjeros producen paradójicas combinatorias. Ejemplos: una aeromoza portuguesa llamada Ervana Cacanova, un *metteur-en-scène* austríaco llamado Frederick Mierdita. En mi casa abundan los nombres extranjeros significativos. Mi plomero, por ejemplo, se llama Mr. Homer. Es decir, Homero. Mi abogado se apellida, sugestivamente, Hitchcock, para crear los más intensos *suspenses*. El vecino de los bajos se llama Mr. Garlick, a quien la *k* final no disimula el apellido Ajo, como lo llamamos. También hay un inquilino que se llama Inquilino—Mr. *Tenant* McFarlane.

Encontrar tales nombres no es fácil, producirlos, como bien sabía W. C. Fields, es difícil. La prueba es ese escritor nicaragüense que transformó su mediocre pero genuino nombre de Menéndez Leal en un desgraciadamente presuntuoso Menen Desleal.

¡Conocí en Cuba un terrorista llamado Tara Tromitro Telebauta!

Cuando doy con estos nombres me dan ganas de componerlos, de hacer versos, de hacerlos ver a todo el universo.

> *El plomero*
> *de mi casa*
> *se llama*
> *Mr. Homer.*
> *Es decir, ¡Homero!*

También puedo asistir, en la exaltación, a una fiesta de nombres propios que es todo un banquete. Veamos:

150

Crónica de saciedad

En deliciosa compañía se reunieron ayer tarde para la cena Nena Col, Carlos Lechuga, Ricardo Porro, Enrique Berros, Carmen Esparraguera, Salomón Aceituno, Eliseo Salmón, Leonardo Manzana, Luisa Guisante, René de la Nuez, Concha Papa, Nieves Piña, Conchita Rabanal, y Aminta Pimiento, con el sempiterno «Aguacate» Rodríguez entre ellos, y todos sabrosamente acompañados por Enrique Ajo, Amado Sales y el doctor Mora Pimienta, auxiliando a la imprescindible Melba Aceite en lo de Adolfo Cocina.

Sobre Alba Mesa pudimos ver a Flaminio Pato aguardando ansioso la llegada del momento cumbre de la *soirée*. Hubo que lamentar sin embargo la ausencia, siempre sentida, de Conrado Mantecón.

No podemos concluir crónica tan picante y llena de salero sin mencionar a Hilda Palacio que Lucía Gallardo. Con Amelia Puerta abierta a todas las sugerencias se veía a Luis Rosas, a Francisca Nardo y a Fuentes Clavel adornando a Justo Jardín y, ya en lo de Elena Huerta, los Almendros, Néstor y Jorge, eran sacudidos con vehemencia por Ramón Ventoso.

A lo A. Alejo se podía oír, como una música distante, la voz de Radio Cremata.

Hayquehayes

1

Y Angulo,
¿era obtuso o agudo?

2

¿Significa Quintana
que hubo alguna vez
cuatro previas Anas?

3

De los nombres
de calles con tres paredes
el mejor es Salsipuedes.

4

Margarita del Valle
no es el nombre de una calle;
es un pseudónimo.
¡Vale más ser anónimo!

5

¡Recorcholi!
Suerte puerca
la de un cubano
llamado
Isidoro Malmierca
y Peoli.

6

¡Asombroso!
Hay un feo peruano
llamado el enano:
¡Beltrán E. Espantoso!

7

El escritor cubano
Óscar Hurtado
del muy humano
delito de plagio fue acusado.

8

¡Prodigioso!
Lisandro Otero,
escritor celoso,
puede escribirse
—y uno reírse—
¡Risandro Otelo!

9

A otro escritor de La Habana,
nada cicisbeo,
lo llaman—y se llama—
Pepe Rodríguez Feo.

10

En ese lugar
un poeta, ya muerto,
se llegó a llamar
Roberto
Fernández Retamar.
Pero ahora se llama
Roberto F. Retama.
La efe no es

rito funerario.
Esa efe es
la de Funcionario.

Coda

Después de estos versos
traviesos
y adversos
—o aviesos—
no es inane
que alguien me llame:
¡G. Cabrera Infame!

OPINIONES FRAGMENTARIAS

En un prólogo de la edición de Seix Barral de *Las amistades peligrosas* se lee: «Es un castellano posterior sólo en cuarenta años al francés de Laclos», para elogiar una traducción española del libro hecha en 1822. Esta aseveración (entre otras sobre el erotismo, los jóvenes lectores, los críticos jóvenes, etc.), hecha por un crítico a menudo inteligente, no se sostiene bajo ningún examen, ya sea lingüístico (¿son el francés y el español idiomas siameses?), sociológico (la noción del erotismo como juego de salón en la Francia del siglo XVIII es única en Europa: tan única como el arte de Watteau y Fragonard que lo pinta es esta novela que lo describe), materialista histórico (las relaciones, de veras peligrosas, entre la aristocracia declinante y la pujante burguesía en Francia no tienen siquiera un remoto equivalente en la España de «cuarenta años más tarde»), pero para alguien a quien la lingüística, la sociología y cualquier filosofía no son más que formas de la literatura, para alguien que considera a la literatura como una cristalización del lenguaje, esta declaración muestra a la distancia que están la mayor parte de los escritores (críticos o novelistas) españoles de comprender los problemas del lenguaje en general y del español en particular. Desde el punto de vista del lenguaje, una traducción es siempre una aproximación y como tal sujeta a errores. Es decir, que toda traducción es de veras una traición. No hay, pues, manera de probar que una traducción de *Les liaisons dangereuses* hecha por un (más o menos) contemporáneo (más o menos) europeo es superior a una traducción hecha al español por un contemporáneo nuestro y americano. Esto equivale a declarar una falsificación más legítima que otra. Pero me atrevería a afirmar que una traducción actual sería más eficaz para hacer el libro asequible a los lectores actuales, que cualquier intento (más o menos) cronológico. No tengo la menor duda de que una traducción de *Las amistades peligrosas* hecha, por ejemplo, por Virgilio Piñera sería más acertada que esta versión española del siglo XIX. Esto explica por qué en los idiomas verdaderamente creadores cada generación tiene su versión de Homero: cada pueblo tiene el Dante que se merece. Es cierto que no hay respuesta a este problema, pero hay una pregunta—¿es el español de Cervantes equivalente literario del inglés de Shakespeare?

Si para Sterne las digresiones eran el sol de un libro, para mí las erratas son un son.

¿Cómo no amar al linotipo o *lindotipo* que reescribió así a Emir Rodríguez Monegal hablando del divino Alighieri:

> No es necesario ser un *dentista* para reconocer en *Paradiso* la huella del gran poeta florentino

en «*Paradiso* en su contexto», en *Imagen*, de Caracas?

Veo el pasado como una forma de locura. El futuro es amenazador o ficticio: mañana ocurre siempre hoy. Sólo el presente puede sostener la vida. Caótico, amenazado por el futuro, enrarecido de nostalgias, el tiempo presente contiene desgraciadamente demasiadas trazas del pasado y no puede detener el futuro: es decir, el presente no puede dejar de ocurrir a cada instante. Una cronología es la nostalgia hecha crónica, enferma de fechas.

La escritura es una forma de poder. La lectura es una forma de adquisición del poder. No otra cosa es ese sentimiento de haber alcanzado un estadio natural, su *status* social, una estación humana que se siente, junto con una indescriptible alegría, una felicidad que casi alcanza un grado metafísico, en la primera lectura posible: ese momento mágico en que el alfabeto se organiza en un lugar misterioso, antes remoto y ahora tan próximo, para formar una palabra conocida. La expresión de ese momento es, curiosamente, una exclamación de sabiduría: «¡Ya sé leer!» Muchas veces compartida, es cierto, por un conocimiento secreto: «¡Ya *puedo* leer!»

El español es demasiado importante para dejarlo en manos de los españoles.

Mencken dijo: «Cuando dos terceras partes de las gentes que hablan un idioma dicen una cosa de una forma y una tercera parte de otra, la más simple lógica indica que la mayoría tiene la razón—y así el idioma hablado por la minoría, aunque sea en el país que originó este idioma, pasa a hablar, de alguna forma, una suerte de dialecto».

Cuando Juan Goytisolo habla de la corrupción del pensamiento por la sintaxis y cita casos en que la prosa oficial española está determinando una manera reaccionaria de pensar, se olvida de que en otras zonas del español ha aparecido una variante de la *neohabla* de Orwell. Si términos como hispanidad huelen a un conservadurismo definitivamente *depassé* y la frase «Veinticinco años de paz» oculta tras su aparente modernidad de *slogan* toda la historia española a partir de la Guerra Civil, no se puede olvidar que al llamar en Cuba UMAP a un campo de trabajo forzado para homosexuales se está encubriendo, bajo la aparente asepsia anónima de las iniciales, los atisbos de que el español—¿quién lo hubiera creído?—bien puede ser, junto al ruso, el chino y el inglés, una de las jergas posibles en 1984. Por supuesto, Goytisolo puede responderme que su deber como español es hablar de España, que es la vieja sombra que él conoce. A lo que tengo que decirle que yo como cubano tengo que hablar de la futura amenaza que ya conocí.

Moviéndose dentro de los estrictos (y esta forma latinizante de estrecho *no* es un adjetivo azaroso) límites de un idioma que repudia la ambigüedad (o, mejor dicho, de un idioma cuyos practicantes académicos-gramáticos, escritores respetables, redactores de editoriales, constituyentes y miembros del poder judicial—se sienten personalmente agredidos por cualquier párrafo ambiguo), Severo Sarduy y Manuel Puig no sólo coquetean con la ambigüedad sino que la cortejan asiduamente, se casan con ella, viven en unión estrecha y si se permiten alguna

158

otra *liaison* extramatrimonial no es con cualquiera de las sensatas criaturas del sentido recto, sino con la más casquivana de las formas dudosas.

Para Puig (no puedo resistir pensar inmediatamente en Démy, en sus paraguas charburgueses, en *Les parapluies de Cherbourg*) la rectitud es el sitio a que van las ilusiones a morir: una boquita pintada de provincias que se frunce en la vejez metropolitana y burguesa, una carta que leerá, junto con el lector, fatuo, el fuego que consume, párrafos dulcemente joviales que dejan un sabor de tristeza al final del libro. Es, como se ve, un sentimentalismo ambiguamente asumido: no hay que creer mucho en las lágrimas novelísticas de Puig, pues ese escritor que duerme a la orilla del agua en que contempló sus ondas (Marcelle) de recuerdo, no es un narciso fatigado en el autoerotismo ni el tronco inerte que parece de lejos, sino un peligroso cocodrilo anímico, con una piel tan correosa como aviesas son sus intenciones para cualquiera que caiga inadvertido en el doble estanque provinciano de las costumbres rancias y la conversación amable. (*Nota bene*: leer a Jane Austen después de leer a Manuel Puig, o leer a Manuel Puig después de leer a Corín Tellado.)

Sarduy sardónicamente no revela el sexo de sus narradores ni siquiera cuando se sabe que el narrador es el propio escritor. Esa voz escrita no es pasiva ni activa, sino intermedia. Su lenguaje es su género, es *sui generis*.

TVeni, TVidi, TVici

El teatro es una caja a la cual se echó abajo una de las paredes para admitir al espectador. El cine abrió un ventanal en la pared del fondo y extendió la visión del espectador hasta el horizonte. Ahora la televisión, regresando a la caja mágica, ha abierto una luceta de adentro hacia afuera para traer el horizonte y proyectarlo de afuera adentro. Pero esta arca de Pandora terminará, no me queda ya duda, con sus antecedentes. No existe siquiera la esperanza de que como el teatro (al convertirse el cine en el espectáculo favorito del recién nacido siglo, el arte de la escena revisó drásticamente sus fines y sus medios, cf. Brecht, Beckett, Ionesco, etc.), pueda el cine sobrevivir el continuo asalto de imágenes a que nos somete la televisión mediante un profundo examen de sus posibilidades. Es cierto que ha habido otras artes populares en el mundo moderno (la novela, la ópera, por ejemplo) que han sobrevivido más de una *débâcle* y, lo que es peor, a todos los augurios (y deseos) de desastre. Pero el cine necesita el público que lo creó al convertirlo de mera curiosidad voyeurista en la forma artística más popular de la historia. Su única posibilidad de renacer está en una muerte y transfiguración a través de la caja con la pared de vidrio, ese monóculo por el que todos miraremos un día. Pero perderá el cine, a no dudarlo, su carácter de misterio colectivo y esa preciosa vulgaridad (ilegible) que tan bien han entendido Orson Welles y Fellini (ilegible). Si la distanciación que ofrece la televisión—interrumpido el espectáculo tantas veces como el espectador quiera y al menor (ilegible) o la posibilidad de repetirlo *ad infinitum* o *ad nauseam* ahora mediante la *cassette*—es eliminada por la capacidad de atención obsesiva del medio y cada aparato se transforma en una hierofanía, será en todo caso un misterio privado. O familiar. Se convertirá, por tanto, en el último refugio del soñador por persona interpuesta. No importa que el vidente juege un rol inerte (el espectador ha sido siempre una presencia pasiva), lo que importa es la calidad de sus sueños. A juzgar por muchos espectáculos de televisión actuales, esos sueños son, es sorprendente, mágicos y ancestrales, como en los mejores momentos del cine. *Star trek* es un ejemplo mayor. Ha habido otros antecedentes más crudos. *Viaje al fondo del mar* (cuya capacidad de creación onírica fue celebrada hace más de cinco años por un viejo surrealista, Cirlot) se movía en la misma dirección: hacia ese paisaje extraordinario que en *Star trek* es el único hábitat concebible.

Acabo de ver a Mary Tyler Moore (la musa doméstica de Dick Van Dyke en su viejo y maestro *show*) en la primera comedia de su nueva serie. Este episodio (en realidad una obrita en dos actos y varias escenas), titulado *El amor está en todas partes*, es un breve estudio de costumbres. La llegada de una muchacha provinciana a la ciudad en busca de trabajo, cómo encuentra casa en el edificio en que ya vive una amiga, casada y con hija, cómo consigue trabajo y termina la relación con su novio que estudia medicina: este episodio es casi perfecto, no sólo en sus personajes sino en su diálogo y sus situaciones de comedia. Solamente le falta un tercer acto para ser una comedia urbana ni más ni menos conseguida que otras comedias americanas modernas, como *Descalza en el parque* o *Flor de cactus*. Pero ese tercer acto ausente es los puntos suspensivos que enlazarán otro episodio tal vez diferente, tal vez parecido, tal vez idéntico... la semana que viene. Mejor hecha y mejor cuidada que la mayor parte de las comedias teatrales, menos pretenciosa y compleja que muchas comedias del cine, la televisión demuestra en esta muestra que, si el cine—a pesar de Gable, Grant y Rock Hudson, con o sin Capra, contando con Lubitsch y Wilder y sus guionistas sabios—no pudo eliminar la competencia de la comedia de salón teatral, la televisión lo conseguirá tarde o temprano. Ya no hay que salir para ir a un teatro a ver la próxima comedia de otro Wilde por venir: *Anch'io sono Arte*, parece gritar la caja de un solo ojo ubicuo.

Cuando, leyendo el hermoso, triste, demasiado breve prólogo de Lilliam Hellman a las novelas cortas de Dashiell Hammett (*The Hammett omnibus*), me entero no sin horror que Hammett estuvo preso por comunista en 1951, que *El halcón maltés* fue erradicado de las bibliotecas USIS por McCarthy (este siniestro bufón entrevistando a uno de los verdaderamente grandes escritores del siglo americano: «Si usted fuera yo, Hammett, ¿no haría lo mismo con su libro?» Respuesta rápida del antiguo operador de la agencia Pinkerton: «Si yo fuera usted, senador, acababa con las bibliotecas». Hay que decir en favor de la verdad que McCarthy fue el único que rió en el Senado) y que nadie protestó. Me parece una monstruosidad. Tanto como me parece una monstruosidad de otro orden pero idéntica que nadie protestara por la encarcelación brutal, casi al mismo tiempo, del más grande poeta americano (incluyendo a Whitman), de su reclusión dentro de una jaula, a merced del sol y de la lluvia y del frío, que Ezra Pound fuera sometido a toda clase de injurias y castigos y que nadie protestara. Me parece una traición de los intelectuales a su propia clase. Tanto como me parece una traición actual que Mary McCarthy

162

(ese apellido me suena), Susan Sontag y Harrison Salisbury (por no mencionar más que nombres obvios y recientes: pero podría hablar de Sartre, de Bertrand Russell et al.) vayan a Vietnam, hablen de los crímenes de guerra americanos y ni una sola vez se refieran a un crimen de paz cometido contra un intelectual vietnamita por el propio «Santa Claus de ojos rasgados», el buen tío Ho. ¿Quién ha preguntado por la suerte de Tran Duc Tao? A finales de los años cincuenta este agudo pensador marxista tuvo la ingenuidad de atreverse a conciliar el pensamiento de Marx con el de Husserl, intentando la imposibilidad (aún en términos filosóficos) de reunir el marxismo y la fenomenología. Tran fue duramente criticado después que Sartre (eran los tiempos de *Temps Modernes* como fiscal de la masacre de Budapest) publicó su *tractatus*. A la crítica que no consiguió una autocrítica suficiente siguió el destierro como maestro al interior de Vietnam del Norte, al destierro siguió la cárcel. Desde entonces nada se sabe de la suerte de Tran. ¿Un Babel más? ¿Otro Mandelshtam? ¿O tal vez solamente György Lukács en Vietnam? Tal vez no se sepa nunca ahora que la mayoría de los intelectuales de izquierda están preocupados por presentar al marxismo como un pensamiento dúctil, con campeones en cada esquina, como si no se tratara de una nueva escolástica y las excepciones (llámense Juan Hus o Carlos V, Enrique VIII o Lutero, Juana de Arco o Inocente VI) no muestren más que la variedad posible a la Edad Media. Después de todo me parece más que sintomático que durante tres meses todo el pensamiento filosófico, moral y político de uno de los areópa-

163

gos de Occidente girara en torno a un confuso sócrates de pacotilla y manía cuántica. Me refiero, por supuesto a París, a la izquierda francesa y a Daniel Cohn-Bendit considerado como profeta.

DESDE EL SWINGING LONDON

Curioso, lector (no curioso lector), que los escritores resulten tan pobres escritores de cartas. Más curioso todavía, que escribir cartas sea una de las más antiguas y tenaces formas de corresponsalía. (De hecho, un corresponsal es exactamente eso: un escritor de cartas.) Y curioso y más curioso que *steady old England* tenga por capital, ahora, a *Swinging London*, que quiere decir lo contrario.

Curiouser and curiouser!, gritó Alicia.

Pero lo más curioso de todo es que yo sea el corresponsal de *Mundo Nuevo* en Londres. ¿Por qué? Porque siendo un escritor que le pesa escribir cartas, vivo en Londres y viviendo en Londres tengo que escribir cartas de Londres para poder continuar en Londres—y seguir escribiendo cartas de Londres. Un argumento *ab ovo. Literatim.*

Londinium era el nombre latino de Londres, enclave al que Tácito expresamente llamó «emporio de mercado y mercaderes» en el siglo I de nuestra era. Ahora, en el siglo XX, *L'Express* la llama, tácitamente, *Londinium oscillans.*

«Londres, capital de Inglaterra y la primera ciudad de la comunidad británica de naciones está situada sobre el río Támesis ... La parte más importante de la capital (*London proper*), con sus principales edificios, está situada en la ribera norte y limitada por Essex y Middlesex» (*The Penguin guide to London*).

Si la ortografía de Essex fuera Exsex, Joyce (o Le-

165

wis Carroll) tendría una vez más razón cuando dijo que todas las posibilidades de la metáfora caben dentro de la palabra. El exsexo victoriano ha sido suplantado por el *middlesex*, un medio-sexo, lo que no quiere decir que mañana aparezca otro Wilde y la ciudad se incline una vez más del lado de Essex. Pero hoy aún el recuerdo viril de los *angry young men* es obliterado (esa aplanadora palabra que participa del olvido y de la literatura), es trucidado por la múltiple, abigarrada, intersexual presencia de los *anxious young mermaids*. Cf. Twiggy, la modelo del año, Mick Jagger, de los Rolling Stones, Tara Browne, de la nobleza.

Twiggy es otra *tiny Alice*. A los dieciséis años entró ella solita en la selva sedosa de la Moda y regresó viva para contar lo que ganó: dos limpios millones de libras esterlinas, un fingido Justine de Villeneuve y la innúmera reproducción de su *vera effigies* en repartidos facsímiles, ella transformada en multiplicada muñeca de cera sin sonido, Londres convertido en su museo de Madame Tussaud privado, y en el colmo de las tautologías, Twiggy *née* Leslie Hornby será otra figura de cera en el Museo de Madame Tussaud, en Baker Street.

Jagger es Jaeger para muchos.

El honorable Tara Browne acompañaba siempre a los Rolling Stones. Bello, delicado y distante (a pesar de su camaradería, tenía esa invulnerabilidad de los muy ricos), Tara era un tipo, mientras Twiggy es un prototipo y Jagger un estereotipo (o al revés, no estoy seguro). Tara fue el noble trasmutado en *pop*. A Wilde le hubiera gustado soñar su existencia, que fue más o menos real que la de Dorian Gray. Heredero de la familia Guinness (lord, veinte millones de posibles libras esterlinas), Tara murió a fin de año en el corazón de Londres, como quien dice: en *London proper*—ese propio Londres que para muchos es *London improper*—, en un banal accidente de tránsito. Tenía 24 años y lo conoció todo. De la vida considerada como un epitafio.

Si esta intersexualidad es aparente o central, buena o mala, nociva o benéfica o aun subversiva—o inefable—, es cosa de maestro de generaciones, de teólogos y de policías. O de comisarios. Yo hablo de estética, no de ética, y estéticamente Twiggy (que está viva, que es una muchachita que tiene 17 años) es una alegría eterna porque es una cosa bella. Es más que eso: ella es un canon, porque creó su propia belleza y el criterio para juzgar su clase de belleza es ella misma. Es posible definirla únicamente por el método Jarry, diciendo que Twiggy es la cantidad de belleza medida por un sistema métrico cuya unidad base es la belleza de Twiggy a dos grados centígrados de temperatura y al nivel del mar. Un *twiggy* vale por dos *shrimps*. Un twiggy de fuerza es capaz de mover al mundo, ella palanca y Arquímedes de ella misma. Cuando Twiggy es medida para áridos es usada para conmover al catatónico y fertilizar a Gobi—sin ningún parentesco con Tito Gobbi, otro desierto. ¿Cuándo habrá un prototipo de porcelana, no de platino e iridio, tan perecederos, en el museo de pesas y medidas de Sèvres?

Repetir con Lewis Carroll o con el tío Honoré: *Thanks heaven for little girls!*

Hopscotch and coda

Hopscotch acaba de ser publicada en Londres. Ése es el nombre de *Rayuela,* la novella (escribiendo así la palabra novela mi máquina comete una ironía: la «Rayuelita», con más de 500 páginas de texto, es todo menos una *novella*) de Julio Cortázar al ser traducida al inglés por el traductor Gregory Rabassa. La traducción ganó un premio merecido. A la novela la crítica la recibió en Inglaterra y en Estados Unidos con una incomprensión ejemplar. Uno de los críticos de Londres—Frederic Raphael, guionista de cine en *Darling* and *Nothing but the best*—hizo un típico, tibio elogio del libro, y aunque en realidad un crítico no tiene por qué pensar más allá de la obra que tiene delante, Raphael falló en comprender, a causa de sus limitaciones inglesas, que tenía delante precisamente un antecedente y una consecuencia, en sí, para toda una literatura. Me refiero, por supuesto, a la literatura española, o escrita en español, para ser exactos. Si desde el siglo XVII, si desde la muerte de Quevedo no ha escrito nadie en nuestro empobrecedor idioma con la renovadora perfección de Borges (contadas son las páginas que se pueden leer en español inmediatamente después de leer «Borges y yo» y en este siglo conozco solamente otra página de tan perfecta simetría, de igual concisión autística: la viñeta VII de *in our time*), desde que Juan Rulfo se calló tal vez para siempre, desde que el vertiginoso pasado ahogó finalmente al narrador y a Pedro Páramo en una misma marea de equívocos y de identidades, nadie se ha atrevido a transportar entre nosotros tan poca realidad a tanto sueño. No hablo de técnicas ni de procedimientos, porque ése, como dijo Nietzsche, es el lenguaje de los que no son artistas y porque para mí la forma de la rayuela no está en los saltos adelante o atrás en el espacio del libro, sino en la convulsa y frágil realidad de los diversos narradores, o

168

de la narración dividida. (Y estos narradores son tanto César Bruto, que abre el libro, como Oliveira o Traveler o Morelli. O José Lezama Lima, más tenue y literario que el «Álvaro Melián Lafinur» de Borges.)

La cauta Susana

Dice Susan Sontag en *Against interpretation*: «Más que una *hermenéutica* de la literatura, se impone una *erótica*». (Los subrayados son míos.)

Su libro ha sido un suceso menor en las librerías de Londres y uno no sabe si el éxito entre los críticos se debe a su presencia en la televisión inglesa en programas de panel hace un año o su aspecto de pícara niña lista, a su desenfado, a su belleza, o a que es mujer, que quizá quiere decir todo eso y más. El libro está sabiamente influido por estetas olvidados: Nietzsche, Wilde, Ortega und Gasset.

Entre ensayos que son verdaderos *dress rehearsals* estéticos, hay uno que la *Revista de Occidente* tradujo hace un año, «Notas sobre el *camp*», que define ese fenómeno metavital visto por Wilde con la apasionada claridad del visionario: la vida concebida como una obra de arte.

Susan Sontag, con simplismo puritano, asimila ciertos goces estéticos a la sensibilidad homosexual, una conclusión peligrosa, si no en USA y en Inglaterra sí en muchas sociedades contemporáneas que se dedican, no a la caza de brujas, pero sí a la colección de mariposas nocturnas, para emplear metáforas igualmente arbitrarias. Este corolario-S.S. me recuerda la insólita bobería de un creador

169

absolutamente *camp,* Vincente Minnelli, cuando en *Té y simpatía* hace a Leif Ericson, el verdadero culpable de sodomía en el *campus,* terminar oyendo solitario no sé qué sonata de Chopin o de Ravel. Me parece que bastante estigma tienen el arte y la literatura en todas las sociedades y en todas las épocas de la historia, para decir que al admirar una lámpara Tiffany's, la Sagrada Familia de Gaudí, la maravillosa *King Kong,* hay que preferir también los falos a las faldas. O viceversa, ya que la homofilia no es la hemofilia, ese mal rencoroso que transmiten las mujeres y solamente padecen los hombres.

La Lupe rescatada en el último ensayo

Lo sorprendente de «Notas sobre el *camp*» es que en una lista particularmente larga y arbitraria, miss Sontag enumera notorios fenómenos *camp* de nuestra época. Allí, entre las mencionadas lámparas Tiffany's, los grabados de Aubrey Beardsley, *El lago de los cisnes, King Kong* y las óperas de Bellini, aparecía nada más y nada menos que «la popular cantante cubana La Lupe». La Lupe es una cantante de boleros descubierta por el escritor René Jordán en los inolvidables aires libres de La Habana de 1959. Ella cantaba antes en un cuarteto indiferente y comenzó a cantar sola en un nuevo *night. club* llamado La Red. A pesar del decorado submarino más que marino, La Lupe hizo una carrera real y metafóricamente vertiginosa, y a finales de 1959 era la primera cantante de Cuba, frente a una competencia que solamente los testigos presenciales pueden decir lo dura que fue. Dos o tres veces cada noche, La Lupe no cantaba ni actuaba, sino que daba una demostración demasiado frecuente de sadismo, masoquismo y sentido del ritmo que mantenía a los espectadores—la mayoría viéndola de pie, el local de «bote en bote en un final», como lo describía la propia cantante—presa de una fascinación casi malsana. Recuerdo que la fui a ver una noche y no me sorprendió tanto su estilo (ya la conocía desde 1958, entonces cantando con su cuarteto de El Rocco) como la indivisa atención del público. Escribí o creo que escribí entonces que más que un acontecimiento artístico, La Lupe era un fenómeno fenomenológico. Pero, en fin, aquello fue otra ciudad y hoy La Lupe está muerta para muchos cubanos porque está exiliada en USA y tiene éxito. Es bueno que la cauta Susana Sontag la haya recobrado, en el último ensayo del libro, para la cultura. (Aunque sea *camp*.) Y para el siglo.

Tiempo de Borges

Creo que fue Goethe (o tal vez Victor Hugo) quien dijo que el siglo—el siglo xix, supongo—se había shakespearizado. Poco a poco este siglo se borgiza o se borgeniza, como se diga. No que *Time* magazine utilice una invención suya como una cita folklórica (a Borges le gustará esta justicia, supongo) para hablar de China, sino que la propia China roja parece seguir un plano azul delineado por Borges: «Desde aquel día han abundado las jornadas históricas, y una de las tareas de los gobiernos (singularmente en Italia, Alemania y Rusia) ha sido fabricarlas o simularlas, con acopio de previa propaganda y de persistente publicidad».

171

A su culto francés ha seguido uno norteamericano. Se acaba de publicar la *Antología personal* en Nueva York. Dice un crítico: «Argentina no ha producido una literatura nacional pero ha producido una mente literaria que es misteriosa y elusiva como las sombras trabadas en la pradera alumbrada por la luna». Otro crítico advierte que nunca será popular, pero afirma que «es posiblemente uno de los pocos escritores vivientes cuya permanencia está asegurada». Lo curioso es que en Inglaterra hay un *cult*-joven del argentino y a pesar de la pronunciación a veces ininteligible que hace sonar Borges a Burgess, Borghese, Bagasse, Boyer y hasta Bauhaus, su nombre exótico está a menudo entre estos labios lívidos. Gran parte de la culpa del culto es de la editorial Calder & Boyars (otro de los nombres de Borges), que publicó *Ficciones* en libro de bolsillo. Lo extraordinario es que Borges, que suena para nuestros detractores inútiles como un inglés que escribe por capricho en español, conserva en las traducciones (algunas son de una eficaz ineptitud) un raro sabor no solamente argentino sino, lo que es más emocionante, americano, y su prosa aparece como una lúcida pradera poética, abierta al heroísmo, a la aventura y a la historia, y también a la erudición maravillada y asombrosa.

Cristo crucificado siempre

A Jesús le hicieron aquí varios regalos de Pascuas, lo que parece una tradición en Inglaterra, donde ya Cyril Connolly escribió hace tiempo que Jesús fue un hombre petulante, además de hijo ilegítimo: su padre, en vez

172

del José evangélico, fue un fabuloso Pantera, notable gladiador. (Recordé el viejo saludo cubano, «¿Y qué, Pantera?») Aunque Connolly tuvo la honradez de admitir un argumento teológico: Pantera es una simple errata, alguien que leyó en lugar de *Parthenou* (en griego, «hijo de la virgen») un rugiente *Pantherou*.

Malcolm Muggeridge—más conocido como Malcolm Muggeridge—fue por muchos años editor del semanario humorístico (parece imposible decirlo de otra manera) *Punch*. Ahora Muggeridge es cronista de *The Observer*, el periódico dominical londinense. El domingo de Resurrección su crónica fue de una petulancia herética: Cristo sería recordado siempre porque Muggeridge, iconoclasta agnóstico, escogía la libertad de pensar en él, de resucitarlo. Quizá Muggeridge no pudo saber que en eso consiste el milagro de la Resurrección de Cristo, que es el símil escatológico para la inmortalidad.

John Lennon ha reconocido que los Beatles son más populares que Cristo. En *Vogue* admiten que fue un hombre elegante, tal vez bien vestido. Mientras que Wilhelm Pauck, teólogo, cataloga: « ... en los últimos cincuenta años se han escrito más libros sobre Lutero que sobre cualquier otra figura cristiana, *Jesús incluido*». No está de más decir que el divino Pauck es luterano, pero dice verdad. Lo que equivale casi a proponer una analogía atea: es como si se escribieran más libros sobre Lev Trotsky que sobre Karl Marx. En realidad la comparación podría llevarse a un lugar sin regreso y señalar que Lutero fue el Trotsky de la cristiandad, con su fanatismo patológico, su necesidad de discordia y su voluble testarudez. El hombre que dijo: «¡Aquí me planto!», también afirmó: «Me quieren convertir en una estrella fija, cuando soy un planeta irregular». Lutero fue un ayuno movible, y a la revolución permanente trotskista se puede igualar su *ecclesia semper reformanda,* la iglesia siempre reformante.

Pero Lutero, que dijo «Mea Katie, meus Christus», comenzó a poner en tela de juicio la divinidad del paño de la Verónica al añadir: «Doy más crédito a Catalina (su esposa, esa Katia), que a Cristo que ha hecho tanto por mí».

Lo que nos lleva a la última blasfemia. Un ginecólogo danés disertará bien pronto sobre la muy científica probabilidad de que Cristo fuera una mujer. No solamente se apoyará en testimonios de la época (que no lo muestran jamás con la barba viril de los apóstoles), sino que al declarar científicamente posible la partenogénesis y la certeza de que Cristo nació de una virgen pura, se afirma el sexo femenino de Jesús: en los tres únicos casos de nacimiento sin intervención masculina que conoce la ciencia entre los seres humanos, la criatura ha sido hembra. La mujer puede preñarse a sí misma, pero el fruto de su vientre será una persona idéntica en facciones, raza y sexo. La tesis científica está corroborada de antemano por la práctica, como siempre, pero ¿y la fe? El ángel se presenta como un problema de lógica.

Parece que, cuando Nietzsche dijo Dios ha muerto, quiso decir Jesús en lugar de Dios. Lo que originó a Jarry y su *Pasión considerada como la vuelta a Francia en bicicleta,* con la tremebunda, inicial *blaguesphémie*: «Jésus demarra». Jarry originó a su vez a Buñuel y sus cristos posando entre carcajadas para los ubicuos corazones de jesús hogareños. Buñuel originó a Lenny Bruce: «Jesus is only a swearword». Bruce originó a Lennon y a Cristo considerado como un miembro de los Rolling Stones—después de todo al Señor le gustaban las parábolas y las piedras. Lennon que originó este chiste escocés: después de que con gran trabajo Cristo convierte al único pan y al solitario pez en panes y peces milagrosos, desde el fondo del banquete se oye una voz protestante: «Pero, Señor, ¿no habrá postres?»

Sobre por qué no ver a Martha Graham (ni oír a Stravinsky)

Martha Graham está en Londres y no la veré. No lo digo con pena: es una decisión, no un lamento. Tampoco oí a Stravinsky dirigido por Boulez. Ni intenté hacer un gesto pasajero en dirección a la retrospectiva Picasso en París. No los echaré de menos. Hacer lo contrario sería echarlos de más. Creo que el año para haber oído a Stravinsky, visto a Picasso, presenciado a Martha Graham, pasó ya, al menos para mí. Irlos a ver ahora sería como visitar un museo, aunque no tengo nada contra los museos (es más, muchos de mis mejores amigos son museos). Pero cuando el famoso coreógrafo, sentado tres filas delante de mí, aprovechó el intermedio para abandonar el teatro donde bailaba Merce Cunningham (al otro día le pregunté qué le pareció el espectáculo y me asombró que dijera: «Pésimo», cuando yo esperaba que me dijera: «Intolerablemente bueno»), comprendí que las artes que se desarrollan en el tiempo hay que conocerlas a tiempo. O en su tiempo. (Si mencioné a Picasso es porque pocos pintores han transportado tanto su pintura del espacio al tiempo. Solamente los artistas *pop* lo superan en este siglo. Otro tanto le ocurrió a la arquitectura a partir de Gaudí, que es—y ése es su milagro—lo contrario de los museos.) Cunningham, en ese momento y para el coreógrafo, era el arte del pasado—o del futuro, que sería una explicación más plausible.

Recuerdo el escándalo de un amigo (como casi todos los amigos míos, éste es un loco del cine) cuando le dije que prefería el más mediocre de los estrenos a la visión de una obra maestra del pasado: Griffith, Eisenstein, Murnau, pero también Ford, Howard Hawks o Welles. No podía entenderlo, no quería entenderlo. Y es que para mí el cine es eso: un estreno, y poco me importa si la semana que viene el film ha envejecido más que el diario de ayer. La aproximación es buena, porque es precisamente el periodismo y los periódicos los que han cambiado el arte en nuestra época, y es que cuando Jean Cocteau (posiblemente el gran esteta de este tiempo, el frívolo que sin embargo convierte a Adorno en un adorno) habla del arte y de la moda está planteando precisamente el problema: el interés de los artistas en la moda a partir de Baudelaire y los impresionistas no es un capricho ni un azar.

Tal vez la literatura y la poesía escapen a ese avatar. Tal vez, a pesar de que Allen Ginsberg—alguna autoridad—declaró a Bob Dylan el poeta de su generación, y que en Inglaterra los Beatles y Donovan aportan el texto a toda ideología posible para los menores de 25 años.

Así cuando Calvert Casey, el escritor cubano, me dejó en recuerdo de su visita a Londres dos entradas para ver a Martha Graham, decidí cambiarlas por *tickets* para oír a Sonny Rollins. Mejor que Sonny Rollins hubiera sido oír a John Coltrane. Mejor aún oír y ver a los Beach Boys.

Una autobiografía ajena

¿Es posible que un hombre invente una historia que con los años resultará la biografía de otro hombre? No otra cosa es lo más sorprendente de *Blow-up*, el film. Lo más extraño del film es lo que dice su autor, Michelangelo Antonioni: «Puede haber un elemento indirecto de autobiografía en este film, pero lo veo con frialdad, como un espectador». No podía ser de otro modo.

Como sabe todo espectador activo, *Blow-up* está basado en un cuento del argentino Julio Cortázar, «Las babas del diablo», y el gran momento del cuento lo es también del film: aquel donde la verdad se revela, literalmente, en un cuarto oscuro. Lo extraordinario (y sintomático) es que ni Antonioni ni sus críticos mencionan nunca el cuento de Cortázar, que parece ese elemento secreto en toda fórmula: el agua oxigenada que hizo de Marilyn Monroe esa venus rubia. Avatares de la literatura, que mientras más personal es, más tiende hacia el folklore y el anónimo.

Del mal olor considerado como un perfume

Mary Quant, apóstola de la moda, sacerdotisa de la religión Mini-mini, propagadora de una versión (abreviada) del *kilt* por el mundo, declara: «Lo que pasa con los hombres es que ya no huelen».

Mary Quant Contrary está preocupadísima con los olores que desaparecen. Es como si ella lamentara que ya nada huele a podrido en Dinamarca, ni *ailleurs*. Añade: «Tenemos que devolver su olor a las cosas. Lo que ocurre es que las mujeres enseñamos a los hombres a ser limpios, a darse cepillo, a usar desodorante y perfumes penetrantes, como el de lima. Ahora bien, los hombres que fabrican perfumes para las mujeres tienen la habilidad de no dejar fuera el olor de Ella (sus, de Mary, mayúsculas). El más atractivo olor del mundo es el del sudor fresco, caliente. Es el sudor frío, viejo, el que huele mal. Debemos devolver su olor al hombre».

No es considerar al sudor como un vino al revés —no añejamiento, calidad de cálido, etc.—, de la transpiración tomada como café—el fresco y caliente es el bueno, no el viejo y frío—, lo extraordinario de esta tirada en baño de María (o teoría cuántica) es la primera oración y la última. Véanlo ustedes: «Tenemos que devolver su olor a las cosas. Debemos devolver su olor al hombre». ¡Es la primera vez en la historia que una mujer cosifica al hombre y no al revés! Las *suffragettes,* la señorita Bloomer y Bebel pueden descansar en paz: la hora de la redención de las mujeres llegó.

(Pienso, no sin temor, en la frase maldita de Nietzsche: «Demasiado tiempo han convivido un esclavo y un tirano dentro de la mujer».)

Esta muchacha de la moda y los *mods* es una mujer inteligente, que ha conseguido, si no que los ingleses apesten de nuevo, por lo menos que las fábricas inglesas vuelvan a hacer lino rústico, devolviendo a la estofa su textura original—«tan sexy como caía entre los muslos femeninos»—, pero no su olor.

Óiganla reflexionando. Acerca del uso del maquillaje por la mujer: «Siempre usaremos maquillaje, hay algo masturbador en su uso. A las mujeres les gusta darse brochazos sobre el cuerpo». Sobre USA: «Los Estados Unidos no huelen a nada». De los ingleses de la clase obrera: «Antes eran tan feos, tan ordinarios. Ahora todos lucen bellos: el camionero, el limpia-ventanas. Mírenme a mí: yo soy una mujer corriente, más bien vulgar, no muy bonita. Pero si soy ingeniosa puedo llegar a parecer bella».

Gran parte de la juventud inglesa, por no decir toda, siguen los consejos de Queen Mary Quant y cada muchacho o muchacha en Londres (y algo más lejos) invierten mucho de su tiempo y su dinero en la belleza personal. ¿Hay algo perverso en esta vanidad nueva? No sé, no soy Salomón, ni quisiera serlo a pesar de la doble tentación de la reina de Saba. Sólo sé que esta vanidad es bella a los ojos, que Londres, a pesar de la horrorosa arquitectura, del clima húmedo, del cielo protector pero nublado, es hoy una de las ciudades más bellas del mundo, que es algo que no se puede decir de otras ciudades, donde solamente el paisaje (de árboles o de piedra o de mar) es hermoso. En Londres el hombre es más hermoso que su naturaleza.

Reflexión (otra empobrecedora palabra española: es imposible pensar sin resultar un espejo), pensamiento estético: la pintura desaparece, porque el hombre que la creó la destruye cada día. O mejor, la saca de su marco rígido y la echa a caminar por las calles. El hombre, que es el único animal narcisista, inventó esos espejos para verse reflejado para siempre en ellos. Ahora no los necesita y, en vez de buscarse un facsímil o el analogón fo-

179

tográfico, se crea él mismo, se modela, se hace eso que se llama en estos días una *imagen*. Y la vida humana, como quería Oscar Wilde, es una obra de arte, de nuevo. Como dijo el Esteta: «Más vale ser bello que ser inteligente».

Un Oscar para Londres

Pienso, no sin nostalgia, cómo le gustaría a Oscar Wilde pasear por Londres estos días. Lo curioso es que su cara atrayente y repulsiva adorna muchas casas en un enorme cartel *pop*. Cuesta trabajo creer que Wilde fue contemporáneo de Bernard Shaw y de Bertrand Russell y que su autobiografía podría aparecer serializada en el *Sunday Times*. Algunos pensarán que es una paradoja que Wilde, apenas medio siglo después de su muerte, no podría ir hoy a la cárcel (de Reading) por su delito, pero lo realmente paradójico es ver cómo tiene seguidores en gente que nunca lo leerá, entre estos muchachos de la clase obrera inglesa, que se dejan larga cabellera, usan pantalones malva o naranja y compran zapatos en peleterías femeninas, sin ser homosexuales. Cada uno de ellos es un dandy y, para hacer rabiar a Baudelaire, la mujer—la inglesa, al menos—ya no es lo contrario del dandy, sino otro dandy.

«Adieu, adieu, remember me!»

Ya con ésta me despido, lector, pero pronto doy la vuelta. Mas, como dice Marx, si no reciben carta mía, quizá sea porque no he escrito ninguna.

180

ORÍGENES

(CRONOLOGÍA
A LA MANERA DE LAURENCE STERNE)

Año		Edad
1929	(22 de abril) Nace en Gibara, pequeña ciudad en la Costa Norte de la provincia cubana de Oriente. Segundo hijo y primer varón de Guillermo Cabrera, periodista y tipógrafo, y Zoila Infante, una belleza comunista. (Sus padres habrían de convertirse de hecho en miembros fundadores del Partido Comunista local, dotando a la criatura con suficientes anticuerpos comunistas como para estar efectivamente vacunado de por vida contra el sarampión revolucionario—una hazaña reaccionaria si uno toma en consideración que ¡nada menos que Vladimir Ilich Ulianov nació en la misma fecha!)	0
	Va al cine por primera vez con su madre, a ver *Los cuatro jinetes del Apocalipsis* (*reprise*).	29 días
1932	Ve aguacates cayendo del cielo: bombas arrojadas por orden del general Machado (uno de los tantos tiranos	3 años

181

que esa «larga isla infeliz» ha tenido que sufrir en este siglo) para sofocar una rebelión local—y Gibara se convierte en la Primera Ciudad de América Bombardeada Desde el Aire. Su padre y un tío materno pelean con los rebeldes. Comienza a gozar pero no todavía a leer los *monitos* (los meñequitos): *Benitín y Enas, Los sobrinos del capitán, La gatita de Tobita,* etc.

1933 Nace su único hermano en el cuarto   4 años
mes del año y cuatro días antes del cuarto cumpleaños de G.C.I—enseñándole que hay más magia que meras matemáticas en los números. Al mismo tiempo descubre la anatomía, con resultados casi castratóficos. Decepcionado al tener un hermanito en vez de una hermanita, trata de eliminar la diferencia con un par de tijeras.

Debe interrumpir su educación para ir al *Kindergarten*. Odia la experiencia tanto, que se enferma violentamente y no podrá asistir a la escuela más por dos años.

1934 Se enseña a sí mismo a leer al concen-   5
trarse en descifrar los globos cautivantes de *Dick Tracy* y *Tarzán*.

1935   Empieza la escuela primaria en Los Ami-   6
        gos, escuela cuáquera. Encuentra las can-
        ciones de domingo agradables aunque los
        cantantes no tengan ritmo.

            Un día viene su madre, y no su padre, a
        buscarlo a la escuela. No van derecho a
        casa, sino que dan un largo paseo por la
        orilla del mar. Otro día encuentra su casa
        herméticamente cerrada al mediodía. To-
        davía otro día halla trazas de humo y ce-
        nizas y colillas en la casa de sus padres,
        que no fuman. Finalmente aprende lo que
        quiere decir la frase *reunión clandestina*.

1936   Vísperas del 1.º de Mayo. Se despierta   7
        para presenciar un acto de astracán polí-
        tico. Su hermano de tres años y su ma-
        dre entran corriendo a la casa, persegui-
        dos de cerca por dos guardia-rurales que
        enarbolan revólveres. Arrestan a su madre,
        y su padre, ausente momentáneamente, se
        entrega más tarde esa mañana. El astracán
        se convierte en tragicomedia. Sus padres
        son trasladados a la cárcel de Santiago de
        Cuba, a unos quinientos kilómetros de Gi-
        bara, escapando casi de milagro a la ley
        de fuga, mientras los rurales confiscan to-
        dos los libros encuadernados en rojo en la
        biblioteca de su padre: la autoridad con-
        fundiendo, fundiendo por primera vez en
        la vida de G.C.I. la política y la poesía.

Mientras sus padres pasan varios meses en la cárcel, él se enamora por primera vez de una prima cautivadoramente bella. Ella le abre a él la caja de Pandora. Descubre el amor y el sexo, pero, ¡ay!, también los celos, la traición y el odio.

1937   A su regreso de la prisión su padre se   8
encuentra sin trabajo y debe convertirse en tenedor de libros. La paga es tan poca y la familia vive tan apretada, que empiezan a pensar en emigrar.

1938   Mientras está de expedición montuna bus-   9
cando yerbas para una chiva de la familia, por poco mata a su hermano al pegarle accidentalmente en la cabeza con un machete.

1939   Siguiendo los «dictados del partido», sus   10
padres cambian de opinión con respecto a su antiguo azote, el coronel Batista. Otras lecciones de política: su madre llora ante la caída de Madrid, pero, cuando Hitler y Stalin se ponen de acuerdo para desmembrar a Polonia, su padre escribe discursos urgiendo a Cuba (y, supuestamente, al mundo) a no enredarse en la «guerra imperialista». Más tarde sus padres—y el

partido—hacen campaña pro Batista presidente.

1940   Una segunda niña nace al matrimonio sin   11
hijas. (La primera hija, nacida un año antes que G.C.I., se estranguló con su cordón umbilical.)

Se ha convertido ahora en un cazador apasionado, aunque tiene una puntería terrible. Un día sanguinario, mata varios pajaritos en su nido, sordo a los ayes de la pájara revoloteante alrededor del nido. Dos días más tarde muere su hermana de septicemia por un ombligo infestado. Por primera vez asocia el crimen, la culpa y el castigo con un juez omnisciente y terriblemente vengativo. Su padre marcha a La Habana en busca de trabajo.

1941   Después de pasar mucha miseria el resto   12
de la familia emigra a la capital. Deja detrás una niñez pobre pero feliz (una familia grande en una casa grande, amigos, todas clases de *pets,* el campo abierto), para encontrar una igualmente pobre pero infeliz adolescencia. Al mismo tiempo se embarca en su más grande aventura—la vida en una gran ciudad.

1942   Una puta generosa, solamente dos años   13
        mayor que él, lo introduce al secreto arte
        de la masturbación.

        De vacaciones en su pueblo, descubre
        los viejos libros de su padre—en realidad,
        una biblioteca heredada de su tío, el in-
        telectual del pueblo que escribía bajo el
        pseudónimo de «Sócrates». Entre estos
        libros encuentra su primera literatura eró-
        tica: una edición española sin expurgar del
        Satiricón de Petronio.

1943   Comienza el bachillerato. Coexisten en él   14
        un buen estudiante haragán con un faná-
        tico pero mal jugador de pelota.

1944-45   Mientras la vida del pueblo natal se   15
        reduce a memorias (primero muere su pe-
        rro dejado detrás, luego su abuelo, después
        su legendario bisabuelo), La Habana se
        vuelve la metrópolis, el mundo, un cosmos
        en sí.

        Ansioso por leer las revistas americanas
        que le regala una vecina bondadosa, co-
        mienza a estudiar inglés por las noches.

1946   Un notable profesor—snob y mal actor pe-   17
        ro con las aulas siempre llenas—lo infecta
        sin querer con un virus literario. Predeci-

ble: es la historia conmovedora de la fidelidad de un perro hacia su amo errante lo que lo hace consciente de Los Clásicos. Nombre del perro: Argos.

Se vuelve un lector ávido y, mientras su interés en la literatura crece, el estudiante holgazán se vuelve indiferente hacia otras asignaturas. Finalmente, la literatura le gana a todo—incluyendo el béisbol.

1947   Después de leer *El señor presidente*, el   18
lector se murmura: «Anch'io sono scrittore», en cubano por supuesto, y para probarlo escribe en imitación un cuento terriblemente mediocre—que para su asombro es publicado por *Bohemia*, entonces uno de los principales *magazines* de América Latina. Mientras tanto la hospitalidad de su madre ha hecho de su casa—o, mejor dicho, cuarto—lugar de reunión de los jóvenes escritores y artistas que gravitan alrededor del periódico *Hoy*, en el que su padre trabajaba desde su fundación en 1940. La mayoría de estos jóvenes se pelearán con el Partido al poco tiempo, pero seguirán visitando Zulueta, 408, para tomar café y conversar en una casa presidida por un cuadro de Jesús Sangrando y una foto del Sangriento José (Stalin).

Visita un burdel por la primera vez. Desalentador encuentro con una puta (falsa) rubia. Comienza a usar espejuelos.

1948   Un año terriblemente decisivo. La broma literaria jugada a Asturias se vuelve contra su creador, y lo que comenzó como un pasatiempo se vuelve afición, luego hábito, más tarde obsesión. Un bacilo sin identificar—y tal vez muy conocido—lo aleja de las aulas y le hace perder la mayoría de los exámenes. El catarro perenne de su hermano es diagnosticado como tuberculosis. Habiendo soñado un día con estudiar medicina, visita la Facultad Médica y se espanta con las hileras de cadáveres a la espera de ser elegidos por la breve y formolizada posteridad de una lección de anatomía—es apabullado por su obscena pasividad desnuda y por el olor, ¡el olor! Fin de una carrera que nunca empezó. Deja la escuela para pasar a ser secretario del jefe de redacción de *Bohemia*. Escribe lo que todavía considera un cuento perfecto.

1949   Funda un *magazine* literario que debió llamarse *La Vida Breve* en vez de *Nueva Generación*. Trabaja como corrector de pruebas en varios periódicos (entre ellos uno escrito en inglés: el *Havana Herald*) y como editor literario (fantasma) de la revista *Bohemia*. Muy breve (y de nuevo desastroso) encuentro con una trotacalles negra.

1950   Ingresa en la Escuela Nacional de Periodismo. Trabaja como investigador de encuestas, traductor, sereno. Piensa irse a la mar, por breve tiempo. Primera experiencia sexual con éxito con una mujer adulta. Para su sorpresa eternamente divertida ella es la antigua Muchacha Más Bella del Bachillerato (ahora casada), quien insiste en hacer el amor oyendo *El mar* de Debussy: un disco prestado en un tocadiscos también prestado.   21

1951   La familia deja el cuarto de La Habana para mudarse a un apartamento en El Vedado, después de una seria recaída de su hermano.   22

Funda, con un grupo de amigos, una sociedad literaria, *Nuestro Tiempo*, la que abandona muy pronto después de descubrir que se ha transformado en una organización-pantalla del Partido Comunista.

Persistiendo, crea con un grupo de fanáticos la Cinemateca de Cuba, hija de la Cinémathèque Française.

Conoce a la muchacha salida de un convento que más tarde será su mujer.

1952 El infame segundo golpe de estado de Batista echa por tierra sus esperanzas de votar por primera vez en su vida. Su pesar será eterno. Publica un cuento corto en *Bohemia* que contiene «English profanities», con resultados desastrosos. Es encarcelado, multado y forzado a dejar la escuela de periodismo por dos años. **23**

1953 Como secuela de su prisión—o más bien como una continuación—se casa. Privado de usar su nombre en desgracia, escribe un artículo (¡en el 25 aniversario de Mickey Mouse!) usando un pseudónimo que a alguna gente le parece un avatar. Uniendo la primera sílaba de su primer apellido con la primera sílaba de su segundo apellido surge Caín. **24**

1954 Su antiguo jefe es nombrado director de *Carteles*, la segunda revista de Cuba. Todavía usando su nombre de capa y espada —G. Caín—comienza a escribir una columna semanal sobre cine que se hace notoria en Cuba y en el área del Caribe. Nace su primer hijo: una hija llamada Ana. **25**

1955   Sale de Cuba por la primera vez en una   26
        solitaria visita a Nueva York. Como re-
        sultado la Cinemateca se ve reforzada
        con films del Museo de Arte Moderno.
            Para su asombro eterno encuentra el
        adulterio mucho más fácil que el sexo
        prematrimonial: la culpa se hace cuita.

1956   Tratando de usar la Cinemateca como   27
        plataforma política, la mata. El gobierno
        se incauta del club y finalmente lo deja
        morir.

1957   Ve a varios de sus amigos encarcelados o   28
        muertos por la policía de Batista. Activida-
        des clandestinas. Escribe para la prensa
        clandestina. Visita México por primera
        vez. Vuelve a Nueva York. Interrogado
        brevemente por el Buró de Represión de
        Actividades Comunistas acerca de su filia-
        ción política.

1958   Conoce a Miriam Gómez, una joven actriz   29
        que hace su debut en *Orpheus descending*,
        de Tennessee Williams. Nace su segunda
        hija y es llamada Carola. Es repetidamente
        advertido por amigos y enemigos acerca
        del contenido político de su columna. Una
        delegación de jóvenes socialistas trata de

convertirlo en el líder de una protesta autorizada. Su columna es censurada estrechamente. Escribe muchos de los cuentos y todas las viñetas políticas de *Así en la paz como en la guerra*. Prepara la primera reunión entre los comunistas y el Directorio Revolucionario. Pasa armas de contrabando a estos últimos. Prapara un viaje a la Sierra para él y dos periodistas americanos cuando Batista abdica el 31 de diciembre.

1959 Por breves períodos sucesivos es editor 30
del diario semioficial *Revolución,* jefe del Consejo Nacional de Cultura y ejecutivo del recién creado Instituto del Cine. Más tarde funda *Lunes*, suplemento literario de *Revolución*. Viaja por USA, Canadá y Sudamérica en el *entourage* (¿o es *en toute rage*?) de Fidel Castro.

1960 *Lunes* comienza su *politique des auteurs* 31
politiques invitando a Cuba a escritores de todos los colores—de Sartre a Sarraute y a Sagan, de LeRoi Jones a Wright Mills—mientras ayuda a disfrazar al país cada vez más comunista en una Revolución Original. Visita Europa (más la Unión Soviética, Alemania del Este y Checoslovaquia) con una delegación de perio-

distas virginales. Se divorcia. Deja de escribir críticas de cine para siempre. Publica *Así en la paz como en la guerra. Lunes* se ramifica hacia la televisión.

1961   Corresponsal de guerra en la guerrita de   32
Bahía de Cochinos. Cuba se convierte (oficialmente) al socialismo. La Oficina de Censura del Cine (Instituto del Cine) prohíbe y después secuestra a *P.M.,* un corto que celebra la vida nocturna de La Habana en 1960, hecho por su hermano y previamente mostrado por *Lunes* de televisión. *Lunes,* el magazine, sus editores y colaboradores organizan una protesta escrita firmada por más de 200 escritores y artistas. El gobierno decide posponer el Primer Congreso de Escritores y Artistas de Cuba y apresuradamente monta una serie de «conversaciones con los intelectuales» presididas por Castro, secundadas por el presidente Dorticós y manejadas por los comunistas. Después de muchas idas y venidas, el resultado de las «conversaciones» (donde el grupo de *Lunes* parecía ser los únicos escritores preocupados por la libertad de expresión que quedaban en Cuba) es una sentencia antes del veredicto: el secuestro del film es condonado oficialmente y el magazine es prohibido. Pero en el Congreso de Escritores y Artistas,

193

apenas un mes más tarde, G.C.I., desempleado, es elegido (como de burla) vicepresidente de la Unión de Escritores y Artistas. Se casa con Miriam Gómez, ahora una exitosa actriz de teatro, de televisión y del cine. Comienza a escribir *Ella cantaba boleros* como continuación de *P.M.* por otros medios. Eventualmente la novelita se convertirá en *T.T.T.*

1962   Todavía desempleado, G.C.I. comienza a   33
ser visto como un exilado interno. Prepara un libro con sus críticas de cine y escribe para ellas un prólogo, un epílogo y un interludio para convertir a *Un oficio del siglo XX* en una pieza de ficción ligeramente subversiva. El libro se propone probar que la *única* forma en que un crítico puede sobrevivir en el comunismo es como ente de ficción. A la manera bolchevique es desterrado de la capital política. Pero La Habana es todavía una versión latina de Moscú y en vez de exiliarlo en Siberia es enviado de *attaché* cultural a Bélgica.

1963   *Así en la paz como en la guerra* es pu-   34
blicada en Francia, Italia y Polonia y es nominada al *Prix International de Littérature*—ganado *ex aequo* por dos epígonos de Kafka.

1964   Aunque escrita en cubano, su primera no-   35
        vela—luego titulada *T.T.T.*—, gana el
        más prestigioso premio para una novela
        en español. En un *coup d'été* que nunca
        abolirá el azahar es nombrado encargado
        de negocios cubanos en Bélgica y Luxem-
        burgo.

1965   Su libro es nominado al *Prix Formentor*,   36
        que es ganado en su lugar por una novela
        inolvidable, *The night watch*—no, *¡The
        night watchman!* (¿O será quizás *The
        night watchmaker?*) Regresa a Cuba el 3
        de junio a los funerales de su madre. Se
        queda pasmado al encontrar que La Ha-
        bana es una ciudad fantasma y apresura
        su regreso a Europa. Pero el conde Oeste-
        Oeste tiene otros planes para él y le ruega
        al agrimensor quedarse para una entre-
        vista, que es eternamente pospuesta por
        el Castillo. Sin embargo G.C.I. no piensa
        que ha llegado a Kafkalandia. En realidad,
        después de ver a algunos de sus amigos
        espiritualmente decrépitos, que lo reco-
        nocen y luego mueren moviendo su rabo
        político, está convencido que ha regresa-
        do a Ítaca. Aunque odia ver en lo que han
        convertido los pretendientes a su isla, aun-
        que está mucho más aplastado al contem-
        plar una Penélope loca que cada día teje
        un tapiz diferente al que todos deben cer-

tificar como el original, se consuela memorizando el epitafio que Cavafis escribió para su isla: *Ítaca te dio el bello viaje. Sin ella nunca lo habrías emprendido. Y si la encuentras pobre, Ítaca no te ha defraudado. Con la enorme sabiduría que has ganado, con tanta experiencia, debes seguramente ya saber lo que significan las Ítacas.*

Después de mucho vapuleo por los Robacadáveres deja La Habana—o más bien Santa Mira—para siempre. Se ve corriendo cuesta abajo para decirles a todos los que encuentre en el camino acerca de la invasión de vainas políticas, pero nadie lo cree y todos se van corriendo inadvertidos y es *El fin.*

(Pero fue en verdad el principio. Lo que hizo en realidad fue tomar el avión de regreso a Europa, trayendo consigo a sus dos hijas, unos pocos manuscritos y tres fotos (o una sola foto de tres asuntos diferentes), más sabiduría y un puñado de recuerdos.) (Una vez en el avión, entre el ruido de los motores creyó estar oyendo un *jet de mots*—¿o era un *jeux de mottos*?)

(Insolencia)
(Exilios)
(*Punning*)

El resto es ruido.

ÍNDICE

Impreso en el mes de febrero de 1975
en los talleres de Ariel, S. A.,
Avda. J. Antonio, 134-138,
Esplugues de Llobregat
(Barcelona)